價值觀重整之旅

CO-AZH-753

組 長 本

蘇穎智 著

作 者 簡 介

蘇穎智牧師畢業於美國德州休斯頓大學
(University of Houston)，主修哲學及希臘文，獲學
士學位(B. A. Honors)，繼而在美國西南浸信會神學
院(South-western Baptist Theological Seminary)進
修，獲道學碩士(M. Div. Honors)，跟著到達拉斯神
學院(Dallas Theological Seminary)深造，攻讀系統
神學，獲神學碩士學位(S. T. M. Honors)；同期又
在西南浸信會神學院完成教牧學博士學位(D. Min)。

蘇牧師曾先後在美國休斯頓華人浸信會及德州阿
靈頓華人教會牧會，1986年回港後開始在香港播道
會恩福堂事奉。

著作包括：

《新生命‧新生活》、《戒絕壞習慣之旅》、《價值
觀重整之旅》、《性格重整之旅》、《溫馨家庭之旅》、
《每日箴言——門徒座右銘》、《跨世紀倫理地圖》、
《認識聖靈》、《認識救恩》、《認識末世》、《每日與主
同行》、《智慧人生》、《盟誓之前》、《直攀高峰——教
會質量增長的關鍵與策略》、《希伯來書——完全的救

主與全備的救恩》、《啟示錄——從黑暗到光明》、《何西阿書——長遠受苦的愛》、《認識主基督》、《出埃及記——出死入生之路》、《異端辨惑》、《一針見血的福音》、《最後勝利——啟示錄註釋》(與梁作榮、鄧英善合著)、《在地如在天》、《認識及經歷聖靈》、《夜盡見曙光》、《從伊拉克到世界未來》、《揭開東方發出的閃電之面紗》、及福音性、護教性及生活性小冊子逾二十餘款。

目錄

夏序

　　信耶穌和不信耶穌的人，有一個非常重要的不同點：他們的人生方向和目標不同。不信的人所有的盼望都在這個世界；信耶穌的人卻更注重將來的世界。這個不同乃是基於他們價值觀的不同所致。

　　所以不信的人把這世界的財富、權力、名譽、地位、舒適看得比一切都重要，甚至願意用生命來博取。而信耶穌的人卻把將來世界的公義、慈愛、聖潔、和平、豐盛，看得比其它重要，而不惜用性命來交換。這是為什麼有人會用盡不道德、違法的手段以達到一己的目的。因為他們相信、也認定自己這個目的的價值高過一切道德標準和法律拘限。

　　要一個人改變他原有的生命方向和目標，是不容易的事，決不是一朝一夕可以達到的。所以蘇牧師寫了這本書，用聖經的教導使人明白什麼是正確的價值觀，什麼是世界的價值觀，並且比較這兩種不同的價值觀會帶給人什麼不同的結果。

　　藉著小組討論、查考聖經、建立關係，利用小組的互動使信了耶穌的人能夠明白聖經的價值觀是寶貴的，因為那是耶穌基督的教導，能使人有更豐盛的生命。一個人如果信主之後，價值觀沒有改變，那他的生命就和不信的時候沒有兩樣，因為他所追求的和世人一樣！

　　在過去廿多年之中，我見到不少人經過研讀這本書「價值觀重整」之後，生命上有顯著的改變。蘇牧師設計每一課都用一些有趣的故事、社會新聞引出人對這個世界的價值觀思想及檢討。進而帶進聖經的教導，指出正確的價值觀。

　　這本書是為信了耶穌的人寫的。初信的人更能得益，因為他們尚未染上「老油條」(沒有改變價值觀的多年基督徒) 的毒素。

　　我向各教會主任牧師或負責的同工誠心推薦這本書，推廣在團契、小組使用能帶給教會聖靈的喜樂和屬靈的復興！

主僕

夏沛

中國基督教播道會恩福堂牧師

楊序

豐盛人生何處尋？主耶穌來，是為了要使人「得生命」，不但是永恆的生命（量），更加是豐盛的生命（質）。信徒在信主的一刻，「已經」（already）由「黑暗的國度」中除名，移民進入「愛子光明的國度」，不再是撒但階下囚，乃為神家中的愛子（西1:13-15）。在身分上，雖然「already」已是「一步登天」。在生活經歷中，卻「尚未」（not yet）脫胎換骨、戰勝老我，甚至感到要放下老我、過得勝的屬靈生活「難如登天」！俗語說：「江山易改、本性難移」，是真的嗎？

筆者在神學院讀書的時候，和一位牙買加裔美籍姊妹珍妮合作一個課程。到交功課之時，才發現與教授溝通出現問題，已過了學校的截止日期兩個星期。我們大驚之下，首先是窩裡反，珍妮堅持要追究教授，因為他有責任告知學生學校的截止日期，我則認為這是學生的責任，不應當怪責教授。珍妮氣得滿臉通紅，急得直跳腳，說：「你為甚麼不站起來、爭取你自己的權利？」這是典型的現代人價值觀！我跟她說：「甚麼權利？現在只能要求恩典！」人有甚麼權利？有哪些權利不是恩典？原是不配，若非神施恩的手，誰能得著？

反觀自己的生活當中，順著世俗潮流、老我血氣的行為，比比皆是。從前經常認為有些信徒是「屬靈人」，有些信徒則很「屬世」，但隨著年歲漸長，體驗到每一個信徒都在這兩種拉力當中掙扎。不但「老我」不肯放手，許多時候信徒安於「想當年」，明明已不在罪與死的權下，卻慣於也樂於聽從已無權使喚我們的舊老板！若說要「治死在地上的肢體、脫去舊人和舊人的行為」，要活出與救恩相稱的行為，叫我們一舉一動有新生的樣式，談何容易！如何從「舊人」漸漸被「更新」成為「新人」？感情上願意、理智上認識，都不可或缺，但每天所作無數的決定中，卻都必須要靠「意志」的臨門一腳！才能飛身進入龍門，活出新人的樣式。

神呼召所有的信徒活出新人的樣式，首先須要「忘記背後，

努力面前」。生在世界中，耳濡目染、潛移默化，已經根深蒂固的世俗化，若要經歷到在基督裡脫胎換骨的更新，必須按照聖經真理，對於以前世俗化的價值觀，作出徹底的重估。保羅因為認識基督，生命及價值觀得到完全的更新。保羅鼓勵讀者效法的，便是這種被基督更新的經歷。《價值觀重整之旅》追本溯源，反思個人過去價值觀的形成與影響，進而按照聖經的價值觀「再教育」，進一步塑造門徒應有的苦難觀、成功失敗觀、工作觀、家庭觀。誠意、正心、修身、齊家，為的是治國、平天下，信徒惟有循此內聖而外王的成長途徑，才能裝備自己，現在在自己家中、在神家中作神的好管家，將來在神國中與主同作王！

筆者在香港宣教十二年，期間一直在香港播道會恩福堂配搭同工，也多年使用此書栽培初信者、建立信主有年者。蘇牧師經常用心良苦地指出，在信徒初信之時，便要抓緊機會，作出價值觀的重整，以便靈命能夠不斷蓬勃成長，不致被荊棘擠住，也不致變成老油條！這也是筆者十分認同的迫切需要。

蘇牧師本人坐言起行，他的名言「為己無所求，為主求所有」，便是他良牧風範的寫照，反映出他自己「已經重整」的價值觀！蘇牧師著作，都是已被使用多年、能經歷時間考驗的培訓材料。本書更是他多年奮身帶領多人信主，栽培初信者與小組組長所使的教材，可以說是經驗與智慧的結論，按照香港人的說法，是「使得」的教材。本書另備有組長本，方便小組組長備課使用！

深願更多的信徒能夠同樣因此書而蒙福，靠著靠著聖靈打這場屬靈的爭戰，藉著神的話語所勾勒出來的軌道，每天向舊人而死、活出新人，享受越來越豐盛的人生！江山的確易改，靠著聖靈，按照神的話語，本性亦是可移的！

主內末肢

楊長慧

二〇〇一年春天於美國達拉斯

馬序

　　豐盛的生命，開心的生活，對於信徒或非信徒都同樣重要和需要。那麼生命如何能活得豐盛？生活如何能過得開心？關鍵在乎我們有一個怎樣的價值觀。

　　這些年來，透過使用《價值觀重整之旅》這套書及與弟兄姊妹真誠的內心分享，我們的價值觀，包括自我價值、成功觀、失敗觀、苦難觀、死亡觀、事業觀、家庭觀等都得以重整及改變。

　　過往我們如一般人以自己擁有「甚麼」及「多少」來衡量自我價值；對於人生遭遇的苦難、死亡，只存有恐懼；更由於自我中心，與神、與人只有疏離的關係。

　　價值觀重整後，面對苦難、死亡，我們有平安、有盼望。同神、同人的關係改善後，我們能享受到和諧的人際關係、溫馨的家庭生活。今日，不再以外在的物質條件來衡量自我價值，而以內在生命素質建立自信和自我形象。盼望使用這套課程的弟兄姊妹同樣能透過《價值觀重整之旅》，內在生命得以轉化、成長，成為一個「痛而不苦」的人，享受豐盛又喜樂的生命。

馬小麗

恩福堂資深主日學教師

柯序

　　我相信大部分的基督徒，都是與我一樣，在這社會鼓吹的許多錯誤價值觀下成長，受盡很多的苦。

　　錯誤的價值觀，教人承擔不起生命的挑戰，使人自卑自憐，又或自大狂妄，過著未痛先苦的生活。對現今與將來，亦失去安全感與方向。

　　蘇牧師不單在課程中提出問題的癥結，亦同時指出可行及實際的「出路」，原來靠著神的恩典與能力，生命是可以活得快樂和精彩的。

　　這課程十分適合在小組中分享研讀，看著其他人因價值觀的改變，生活得著建立，更進一步加深彼此的信念和支持。

柯廣輝
律師、資深團契導師

自序

　　自從《價值觀重整之旅》出版之後，筆者收到不少讀者的電話及來信，說查完本書之後，自卑感減少了，自我形象較健康，有勇氣在別人面前分享自己的軟弱。有些讀者查完本書後，對世上事物不再像以前那麼執著；另有不少人以前覺得很難抽到時間聚會，參加小組的，現時卻成了非去不可的筵席。不少讀者在遇到親友離世以後，聖經有關信徒離世之記載反覆出現在自己腦海中，帶給自己平安與盼望。在苦難中之肢體變得更正面地看自己的試煉，不再問「為甚麼？」而開始學習問「主有甚麼功課給我學習？」「主在這次試煉中有甚麼使命要我奉行？」整個人亦因此變得更樂觀、更積極、更正面。

　　有弟兄姊妹面對升職、調職、移民等抉擇時剛巧查到「為誰辛苦為誰忙」，神透過經文對他們說話，使他們認定與神關係，與家庭關係及身心靈健康比財富更重要，以致寧願選擇收入較低，但工作時間較穩定，生活平衡的工作而放棄「飛黃騰達」的「黃金機會」！

　　其實，真正幫助弟兄姊妹成長的，不是書，乃是神的話，神的話一解開，便能帶給人亮光和智慧。自「個人增值」之哲學及風氣在香港流行以後，不少家庭深受其害，不少人受到越來越大的壓力，越來越少安全感，信徒必須曉得用神的價值觀、人生觀、成功觀、失敗觀、工作觀、苦難觀、死亡觀、家庭觀、童年觀等去抗衡這充滿病態的社會。

　　最新修訂本的特色是：

(1) 所有要查考的經文都會列出，使讀者可以省些翻聖經的時間。

(2) 每段經文下面都加上一些生字深詞的解釋，使讀者容易把握經文的正意進行討論。

(3) 在課文後加上每課的重點撮要，使讀者能把握到每課的主要內容。

(4) 在第一課及第四課補充了一些內容，使讀者可更全面地了解該課之中心。

(5) 多加了一課「門徒的性愛觀」，目的是提醒信徒在這污染的世代中持守信徒的底線及原則。

查經前，若組長先讓組員有一段時間彼此先認識，多些彼此代禱，多些化冰遊戲等，將會使組員在查本書時更能進入狀態，使組員不獨因神的話得著改變，且因著彼此支持、鼓勵等得著安慰。這樣的小組生活，肯定能使弟兄姊妹更有效地成長！

筆者特要多謝「全心出版社」承接起繼續出版之重任；另多謝梁一鳴弟兄盡心竭力為本書的新修訂本校對，且提供了十分有用的意見，使本書更為完善，願主厚厚報答他們的勞苦。

蘇穎智

自序於香港2004年3月

破冰與建立信任

破冰與建立信任

要有成功的《價值觀重整之旅》，組長、組員間的關係建立至為重要，所以筆者鼓勵每一組先用些時間和機會建立組內弟兄姊妹彼此信任及彼此更深入認識。

本課所建議的化冰遊戲，除了開始時使用以外，最好也在家聚時也使用，使彼此關係建立得更密切。

何為「化冰」？

化冰不是一個遊戲。而是一項活動，幫助我們突破初次見面或聚會開始時的隔膜及害羞，使大家在一起時感到自然、舒服。這些活動可能要求每人依着一個預先決定的題目來分享，或是由幾個人所組成的小組在指定的時間內完成一件簡單的工作。它能帶給每位參與者一個共同的焦點。它幫助人與人互相結合，雖然只是在表面的層次上，但這正正是化冰的目的，因為「化冰」(Ice-breaking) 這個名字的本意就是只能夠打破各人最頂層的冷漠。因此，不要對化冰的果效有太大的期望。但有些人認為化冰這項活動是浪費時間，這是絕對錯誤的！！它是一個工具，幫助你在別人的生命中踏進第一步。它的重要性在於它能把各人的焦點從自己身上轉移到整個群體或其他人身上。所以你應該在每一次聚會都使用化冰！！

不同功用的「化冰」

1. 引發初步接觸

這類化冰是沒有威脅性的，它並不需要你知道別人的名字，特別適用於那些很少或從未接觸過的群體。其目的是幫助參加者忘卻自我，而又不會在群眾中有迷失的感覺。大部份的化冰都是需要參加者在指定時間內四圍移動，或互相合作去完成一件工作，並且盡量鼓勵大家製造響聲。但是，我們並不能單靠這類化冰，最好能配

合「加強彼此認識」的活動，使參加者得到其他人多一點認識就更為有效。這類化冰適用於大型聚會(如崇拜，專題，訓練等)或新組成的小組(當大部份人還未認識的時候)。當小組已經開始一至兩個月後，這類化冰便不再合用，除非有新組員不斷加入。

2. 加強彼此認識

這類化冰的目的是通過一些趣味性及富創意的方法，幫助你去取得更多有關其他參加者的資料及瞭解(如姓名，職業，興趣等)。它幫助參與者發現共同興趣及培養友誼。

3. 增進彼此溝通

一般人都比較困難去表達情感及掙扎。這類化冰能凝造一種開放氣氛讓大家分享感受。若果你是一位好的帶領者，可能可以把組員最深層的內心感受引發出來。這類化冰通常需要先利用以上兩項的活動來培養開放氣氛。

4. 鼓勵隊工精神

讓參與者在指定的時間內合力完成一項工作。這些活動能讓組員發現小組的凝聚力及合作性所到達的程度。對於一些小組內有獨行俠或較難溶入群體者特別有幫助。

帶領「化冰」者的技巧及態度

1. 對所領導的活動必須表示自己有興趣才能引起別人的興趣，因他是一個「領導者」，而非「公證人」，更不是過份民主的附和者。

2. 領導者宣佈做某種活動時所說的話，應當使參加的人都覺得有興趣參加，故開話說：「我們現在做某種活動吧！」或者：「我們來試做某種活動吧！」或說：「我想大家很喜歡這個活動吧。」好的領導者絕對避免獨裁或命令式的語句。

3. 在開始前說明活動的名稱，清楚解釋其遊戲內容及規則、示範，接受問題，然後開始。

4. 保持微笑，自然的態度。

5. 加強語調，譬如說大家好時，把「好」字特別拉長。

6. 一點幽默感可以增加熱鬧的氣氛，使參加者更感興趣。

7. 目光運用得當，可使參加者覺得自己被照顧到。

「化冰」原則

(1) 從遠到近

(2) 從「離身」到「埋身」

(3) 從正面到負面

(4) 從成功到失敗

(5) 從別人的經歷到自己的經歷

在剛開始的小組聚會中，組長不宜太早用太「埋身」，特別是涉及到一些人的傷痛處之遊戲作開始，因為這樣很容易令到有些人觸景傷情，在眾人面前失控。但一些中性、正面、較遠、別人的個案等之化冰則不同，既可增進彼此認識，亦可按步就班地進到組員的內心世界中。本書所提供的「化冰」大全，組長可酌量使用。

「化冰」大全

1. 引發初步接觸

(1.1) 【猜他是誰？】

將組員的名字寫在一張紙上，貼在非該名字的人背後。

各人要猜貼在他背後的名字是誰？

人向其他的成員問有關該名字的人的特性，被問者只准回答「是」或者「不是」。彼此對問時必須有基本認識才能回答。

看誰猜得最快？一直問到每個人猜中貼在他背後的名字。

(1.2)【人造蜘蛛網】

把全體分成六至八人，每組圍成一個圓圈，然後各人把右手伸向圓圈中間，抓着對面一個人的手，之後各人再把左手伸出，同樣抓着另一個人的手。有一個條件是不能手握身邊旁人的手。每組盡快把這個用交錯的手所組成的蜘蛛網解開，但各人不能把握着的手放開，看看那一組最快完成。

(1.3)【講緊乜東東】

四個人一組。其中兩個人私下選定室內一件物件，然後彼此討論及形容有關這件物件，讓另外兩位聆聽及猜猜這件物是什麼。

(1.4)【空中爭勝】

分給每人一個吹了氣的氣球，但那些氣球應是不同顏色或有不同的記號。每人拋着自己的氣球，使氣球不致跌落地上，與此同時，各人要盡可能把其他人的氣球擲到地上，越能保持自己的氣球不跌落地上，那人便贏了，但當氣球路落地上，那人便輸了。

(1.5)【齊齊做，考記憶】

全部的人圍成一個圓形。一個人先開始，但要先做一個動作，例如撫摸自己的頭。在他右邊的人除要重複那動作（即撫頭）外，更要加上一個新動作。如此類推，每人要重複所有動作再加上新的動作。但如果有人忘記了一個動作或犯規，他便輸了。

(1.6)　【斯文三字經】

每人輪流講一個三字詞，第二及第三字必須相同，如綠油油。之後請大家用先前的三字詞來形容自己，如「我 (姓名) 係綠油油。」

(1.7)　【傳電】

分兩組，相對而坐，把手放在後面握着隔鄰的手，龍頭觀看裁判擲錢幣，「公」者可傳電 (即握一握隔鄰的手，一直傳到龍尾)，若是「字」不得傳電，龍尾接到電波，那人便要搶擡上的鎖匙，看誰傳得準又傳得快。

(1.8)　【有沒有聽錯】

二人一組，其中一人指着自己身體其中一部份，但說出另一部份的名字。例如指着「耳朵」，但說出「眼睛」。而另一個人就要指着自己的「眼睛」，但說出「耳朵」。若回應錯了便算輸。

2. 加強彼此認識

(2.1)　我的家庭圖

每個人畫一幅家庭圈：軸心為我自己，其餘的家庭成員各以圓圈代表。圓圈的大小代表他對你的重要性或影響力。圓圈與中心圓圈的距離代表他與你親密的程度。愈遠的距離說明關係生疏，愈近的距離說明關係的密切。各人畫了自己的家庭圈之後，就展示出來並輪流分享自己的家庭成員與你之間的關係。

(2.2)　自我的畫像

將紙、筆、臘筆或顏色筆分給每一個成員。各人畫自己的畫

像，可畫隻動物、圖案、符號、顏色來代表自己的人生，性格或是它對我的影，響以及心目中的我。把自己的畫像展示，由其他組員說出他們的感受。由繪者本身說明自己畫像的意義，以及為何如此畫。接着由第二位組員展示畫像並如此類推。全體輪流完畢之後，可進行自由的討論。

(2.3)　睹物識人

每個組員均從自己的身上或於四周圍找出一件代表性的物品，例如衣服、飾物、皮包、書籍等。藉此介紹自己生活方式、興起、性格、感情或往事等。公開的分享讓大家彼此認識。然後由主持人任點其中一件物品，組員要睹物識人；將有關的人名寫在紙上。如果名字都很陌生，可以將所有人的名字例出供大家參考。比賽一下誰認識最多的人。

(2.4)　配搭採訪與介紹

每個人尋找一個最陌生的對象組成二人小組的採訪。

互相搜集對方的個人資料，如姓名、工作、興趣、家庭狀況，最喜歡的……，假如你……等。然後向全體組員介紹他的同伴。看誰在比賽中介紹的項目最多。或者介紹最精彩詳盡，最富有創作性的，即可獲獎品。

(2.5)　個性曲線

在下圖中，選出自己的位置，連起來成自己的個性曲線。劃好後四人一組，彼此分享自己的個性曲線，也看看自己對同伴的估計與他自己作的估計有何不同。

```
善於講話 ……*……|……|……|……|…… 善於聆聽
思想家 ……|…*…|……|……|…… 行動家
領袖 ……|……|…*…|……|…… 跟隨者
小兔子 ……|……|……|…*…|…… 小烏龜
冒險家 ……|…*…|……|……|…… 守成者
```

施予者 ....!....*....!.........!.............!............ 接受者

前鋒 ....!................!.....*....!.......!...... 後衛

台前人物 ....!.................!.......!....*......!...... 幕後人物

(2.6)　看圖識「己」

看下圖，那一個人最能代表現在的你？為什麼？各人輪流分享。完結後再分享那一個人是你最希望成為的，解釋原因。

(2.7)　競猜遊戲

每人派一張咭紙、一枝筆、回答五條問題：

　　(a)　　你希望的職業

　　(b)　　你最喜歡的食物

　　(c)　　你最喜歡的運動　　　　　　可改變的

　　(d)　　你最敬佩的人

　　(e)　　你最怕的事／東西

答完後，在咭上簽上名字，然後收集起來，由評判抽樣讀出咭上的資料，鬥快猜是誰。問題越少而猜中的得分越高，答錯的把下次猜的權利送給另一組。

(2.8)　Bingo

將以下任何一款方格紙給予組員

穿七號波鞋	於十二月生日	電話號碼有個2字	最喜歡藍色
用左手寫字	喜愛吃雪糕	在香港出生	在家飼養寵物
喜愛聽收音機	喜愛打藍球	乘搭地鐵上班或上學	曾經留長頭髮
在九龍居住	身高於160cm以上	有配帶隱形眼鏡	對蟑螂有恐懼
家裏有五位成員或以上	在七月出生	喜愛看小說	住在公屋或居屋
上星期曾經到戲院看戲	曾經搬屋	姓陳的	喜愛繪畫

3. 增進彼此溝通

(3.1) 火光熊熊

讓每個組員想象自己的房子即將被烈火焚毀，情勢危急，剩下的時間只夠取三件東西，你會選擇那三件？同時定下優先次序。然後各人分享為什麼這三件東西令你最珍惜的？為什麼其他物品不包括在內？分享為什麼你把第一件東西優先排列？分析各種價值的關連性。

(3.2) 臨終遺命

讓每個組員想像自己面臨死期，祇能作五件事。請寫下這五件事，並決定優先次序。寫下各人的臨終遺囑。列出五件東西及要贈送的對象，並試述原因。然後各人分享自己的決定，並加以解釋。

(3.3) 信心之旅

兩人一組，最好彼此不要太熟。一人閉眼，另一人領他(她)走路，甚至走到戶外五到十分鐘均可以。走時可問一些問題刺激想像，如「你現在想到什麼音樂？」「想起了什麼樣人？」走完後互換再走。兩個都走完後，坐下來填答下面的問題，彼此分享然後解釋背後的原因。信心之旅活動記錄

(3.3.1) 在你被人領着走時，你如何形容內心的感受？

(3.3.2) 在你被人領着走時，你認為最特別的是那一個時候？

(3.3.3) 如果是換了你的家人在領你走，會跟現在有何不同？

(3.3.4) 在這段信心之旅中，你對自己有沒有什麼新發現？

(3.3.5) 在這段信心之旅中，你聯想起過去的什麼經驗？

(3.4) 自爆心中情

分給每人一張紙，叫他們每人在以下的字中抄出代表自己當時的感覺，或他想耶穌帶給他們的感覺：焦慮、寬恕、罪咎、醫治、憂傷、被接納、平安、被拒絕、愛、痛苦、安慰、盼望。當他們寫完後，把紙放在中間混和好後，抽出一張紙讀出所寫的字，其中一人先分享自己的感覺，這亦可鼓勵其他人去分享自己的感受，如此類推。

(3.5) 造句

這是最迅速又最容易把話匣打開的遊戲。我們先做好前半句，後半句請同伴回答。最好的句子是不帶絲毫威脅而又可讓同伴說出自己的一些事來。這些句子通常用「我最喜歡」，或「如果…」開始。

(3.5.1) 一天中，我最愛的時刻是……

(3.5.2) 一幢房子中，我最愛的地方是……

(3.5.3) 一年中，我最愛的假期是……

(3.5.4) 我最愛的文學作品是……

(3.5.5) 如果我能出國旅行，我最想去的地方是……

(3.5.6) 如果我有一百萬元可拿來作慈善用途，我會用在……

(3.5.7) 若我能求神一件事，我會求……

(3.5.8) 若我知道明天便會去世，今天我會做……

(3.5.9) 能給我最大的滿足感的事情是……

(3.5.10) 如果我能選擇或更換未來的職業，我會選……

(3.5.11) 我覺得最快樂的時光是……

(3.5.12) 我覺得最孤單的時候是……

(3.6) 拋開你的煩惱

每人先想一想自己的煩惱，疑難或顧慮。然後將它們寫在紙上 (不須寫上自己的名字)。然後將一個箱子放在房間中央。組員先將 紙張扭皺，然後大力拋入箱子內。隨意大聲叫喊或作出不同的表 情。

(3.7) 找寶藏

將以下表格給予每一個參與者。然後分別詢問四人最少一個相 同和不相同的特點記錄在表上。最後找出一些有趣的特點和大家分 享。

自己姓名＿＿＿＿＿＿＿＿＿＿

組員姓名	相似地方	不同地方
1.		
2.		
3.		
4.		

(3.8) 行行出狀元

給予每人一張白紙，在紙上繪出一幅圖畫是關於自己的工作或 工作的機構。圖畫可以來自電視節目，運動或任何有關連的畫像。 完成後輪流猜猜那是什麼行業。

(3.9) 兄弟姊妹　將組員分為以上幾個組別：

 (3.9.1)　在家中排行最大。

 (3.9.2)　在家中排行最小。

 (3.9.3)　在最大和最細之間。

 (3.9.4)　在家中是獨子或獨女。參與者找尋自己所屬的組別 後，各自分享在他們成長過程中，是否喜愛自己的排 行。若有機會選擇多一次，會否揀另一個排行呢？

4. 鼓勵隊工精神

(4.1) 傳口訊

先圍成一圈，由其中一人將口訊傳給隔壁的組員。然後將所聽到的口訊，一個傳一個，直至完成。跟着最後一個組員將所聽到的大聲説出來。這時可與發訊號者對証。這遊戲可重覆再玩，使每人有機會發出訊號。變化：開始時可將訊號同時傳給左邊和右邊的組員。

(4.2) 齊起立

此遊戲先由兩人坐在地上開始。他們背貼着背，手扣着手。然後嘗試二人同時起立。當他們成功後，再加入另一對，然後重覆嘗試，直至全組人能完成這個動作便為之勝利。

(4.3) 動物大本營

對着組員問以下一個問題：「如果要從以下揀選一種動物來形容你的團契／小組把你改造成的生命，你會選那一種？」

(4.3.1) 斑爛奪目的孔雀：因為你們曾經對我説我很美麗，而我亦開始相信，生命亦有所改變。

(4.3.2) 可愛的河馬：因為你們令我感受到神的亮光，並且使我沐浴於祂的愛中。

(4.3.3) 黑豹：因為你們使我更看清楚自己和身上的污點，但你們仍然接受我。

(4.3.4) 跳舞的熊：因為你們教導我在困苦中仍然能舞，而我亦得到你們的幫助和鼓勵。

(4.3.5) 飛鷹：因為你們醫治我翼上的傷，教導我怎樣再次高飛。

(4.3.6) 長頸鹿：因為你們使再次抬起頭來，伸出頭去面對一切。

(4.3.7) 全天候型鴨子：無論晴天或陰天，開心或憂愁，你們也會教我怎去喜樂，就像在暴風中的鴨子。

(4.3.8)　愛中的鴕鳥：因為我受到你們無比的愛，使我不再埋首沙堆中，而是努力去面對未來的生活。

用分享問題化冰

1.　分享問題特性與技巧

並沒有具體對不對的答案。	讓每一個組員都有機會回應。
答案所反映的主要是個人的，而不是思想或意見。	鼓勵個人經歷與感受的分享。
以較安全的問題開始，繼而漸漸「埋身」。「最不好」…	避免用價值性的判語—「最好」，
容許組員自由發揮回應。	不要問太多跟進性問題，因為會用太長時間。
若有人不想回答，要尊重他們。	組長應自己先分享。
鼓勵簡單，但完整的回應。	小心時間運用。
阻止集中對某人過長的討論。	避免涉及個人品行或道德的問題。

2. 熱身遊戲

(2.1)　若你有$1,000,000你會如何使用？

(2.2)　介紹自己的名字：

例如：　－是誰改的？

　　　　－有甚麼意義嗎？

　　　　－你喜歡你的名字嗎？

　　　　－你認為自己的性格與名字一樣嗎？

(2.3)　兩人一組來彼此訪問：

例如：　－ 三件在他們生命中不平凡的事。

　　　　－ 二件在他們生命中最重要的工作。

　　　　－ 特別的恩賜／嗜好。

　　　　－ 這世界上他們最欣賞的人。

(2.4) 把組員按家中排行的先後分四組：

　　　例如：　　－大哥／組。

　　　　　　　　－尾。

　　　　　　　　－中間。

　　　　　　　　－獨子。

　　　分享：他們家中的排行，有甚麼是他們喜歡、不喜歡的
　　　　　　地方？可能話，他們會選擇排第幾？

(2.5) 你好嗎？感受如何？

　　　目的：彼此了解與肯定。

　　　材料：每個組員有兩張紙、原子筆及鉛筆。

　　　方法：用一張投射膠片或一張大紙，寫上以下的詞語並
　　　　　　且顯示出來。

焦慮	寬恕	內咎	平安	拒絕	安慰
憂傷	醫治	傷痛	接納	愛	希望

從這個表中抄出你正在感受到的，或是那些在的內心深處，
你渴望耶穌現在會帶給你的。

(2.6) 有甚麼新事？

　　　目的：發掘你組員生命裏的一些新方向。

　　　方法：將人分成三四小組。每個組員都想出一件他／
　　　　　　她曾做過的事，一個未曾公用過的「抱負」，或是
　　　　　　一件其他組員不會猜想得到的事。組員們就會向
　　　　　　他／她發問。小組需要在二十個問題以內猜出那
　　　　　　組員的秘密。那人只能答「是」或「不是」。

(2.7) 偵探

　　　目的：彼此認識，建立信任。

　　　材料：他們身上的物件，紙筆。

　　　方法：每人從自己身上取出六件物件給其拍擋看。二人
　　　　　　不要交談，寫下你在觀察你拍擋所放出的六件物

件後所得的推測、意念。然後各人將這些觀察，
推測當眾分享，也讓每位當事人回應其拍擋的臆
測，反映其準確程度。

變化：將各人的物件放在檯面上，然後各人猜測各物屬
誰，並陳述理由。

(2.8) 我最喜愛的事

目的：認識別人，認識自己。

材料：給每人一份：「自我表白」習作紙，讓他們用數分
鐘填表。讓各人分享他們所寫的。然後提議，他
們對題 (一) 的答案，給別人一些提示知道別人怎
樣看他們。而他們對題 (二) 的答案，提供了線索
讓人知道他們怎樣看自己。看看他們怎樣回應你
這提議。

「自我表白」習作

1. 說出你最喜歡的顏色：(用三個名辭形容它)

a.	b.	c.

 (例如：藍色—清涼、使人放鬆、遙遠)

2. 如果你可以十分安全地和動物園中任何一種野獸合照，你會選甚
 麼動物呢？(用三個名詞形容它)

a.	b.	c.

(2.9) 了解你的拍擋

姓名：＿＿＿＿＿＿＿＿＿＿＿

拍擋姓名：＿＿＿＿＿＿＿＿＿＿

材料：筆和有答案的紙張。

方法：將組員分成幾人小組。在各人尚未和其拍擋交談
之前，就先填寫一份以下的問卷，按着各人自

己的猜測填寫，其拍擋也為他填寫一份。且為每
個答案寫下理由。然後與你的拍擋交換答案紙。
大家再圍回一大組，然後各人讀出自己的答案讓
各人給意見。

---

1. 你的拍擋幾點鐘上床睡覺。

　———————————————————————

2. 你的拍擋幾點鐘作靈修？

　———————————————————————

3. 你猜你的拍擋最懼怕甚麼東西？

　———————————————————————

4. 你猜想你的拍擋有甚麼雄心壯志？

　———————————————————————

(2.10) 自我表白

　　目的：自我表白，彼此認識。

　　材料：一個軟球

　　方法：各人圍圈而座，將球拋向一人，請他表白自己一
　　　　　些不凡的經歷，然後他又把球拋給另一人，再重
　　　　　覆這過程。

(2.11)「我很高興我來了」

　　目的：分享

　　材料：沒有

　　方法：告訴小組，你很高興來了。「如果你今天不在這
　　　　　裏，你會做些甚麼？」

(2.12) 自畫像

　　目的：彼此認識及自我表白。

　　材料：草稿紙和鉛筆。

方法：給各人一張草稿紙，請他們劃一幅圖畫去描述他
　　　們的生命。讓各人 (或幾位自願的人) 發表自己的
　　　作品，並解釋之。

(2.13)「我是誰」(自我介紹)

目的：讓各人作自我介紹。

材料：沒有。

方法：給各人幾分鐘就在這房中找一樣可代表他們自
　　　己，或他代表他們某些方面的物件。讓各人都分
　　　享其所選的物件，也叫他們解釋他們為何選之。
　　　(例如：我選了這塊石頭，因為它是強硬、平
　　　滑、老齡)。

(2.14) 電話 (以訛傳訛)

眾人圍成一圓，其中一人在鄰旁的人耳邊細說一句說
話。聽者要繼續遊戲將說話傳給下一個。如是者，眾人
將說話繼續傳下去直至最後一人為止。最後的人在聽到
說話後，要大聲說出來，讓大家和自己所聽到的版本以
及原句以作比較。可重覆遊戲由不同人開此這個遊戲。

另一玩法：主席可說兩句話給頭尾二人，令眾人混亂。

分享：選擇以任何一個題目以作分享：

例如：　─我一生最快樂的時候
　　　　─我上次發怒是在⋯⋯。
　　　　─我七歲至十二歲的時候。
　　　　─對於我神不再只是一個字這麼簡單的時候。
　　　　─今個星期最稱心如意的事。
　　　　─你生命中最開心，最難忘的是哪一刻？
　　　　─你生命中最後悔/最失望的是哪一刻？
　　　　─你最大的成功是哪一次，哪一件事？
　　　　─自從上星期我們相聚之後，誰是對你最有影
　　　　　響力的人呢？

－你所收過最難忘的禮物是那樣？

－你所得到最大的表揚/獎勵是那次？

－你在家中最愛關心誰？

－你最喜愛的顏色、嗜好、食物、電影、天氣、節慶、書本、運動是甚麼？

－請你簡單介紹一下你的家庭和職業。

－你最大的希望是甚麼？

－你目前最要好的朋友是誰？請簡單介紹他/她。

－你最喜歡或最懼怕的體育運動是甚麼？

－你會喜歡怎樣慶祝你的生日？

－如果你可以到世界上任何一個國家渡假兩週，你會到那裏去？

－你最不想到哪個國家或城市？為甚麼？

－如果你可以對任何一位在世的人士傾談，你會想對誰傾談呢？

－你要是能夠坐一輛時空穿梭機到任何一個時代去，你會到那裏去？為甚麼？

－組員曾經如何幫助過你？花點時間分享與彼此致謝。

－告訴組員三樣你因而欣賞家人的事，也透露三樣使你覺得家人難相處的事件。

－在我家中，我的教會，我的小組，我的工作或學校所發生的最好的事是甚麼？

－我希望現時在我家中會出現的事是：_____；

－我希望現時在我教會中會出現的事是：_____；

－我希望現時在我的小組會出現的事是：_____；

－我希望現時在我們的世界會出現的事是：

　　　　　　　　　　　　　　　。

－有哪一個假期是你最難忘的？為甚麼？

－你家裏有哪一個地方是你最喜歡的？為甚麼？

－你通常在空餘時間最喜歡做些甚麼？

－你若果可以收到一份神秘禮物，你最喜歡收到甚
　麼？

－你會希望自己與哪一位小説或視影人物認同？為
　甚麼？

－你會希望自己與哪一位聖經人物認同？為甚麼？

－過去一星期有哪一件事帶給你擔憂？哪一件事帶
　給你喜樂？

－在你信仰中有哪一方面你最希望成長？需要怎樣
　的幫助使你實踐？

－有沒有一個人際關係你想改善？為甚麼？如何？

－你有甚麼家中的工作是最喜歡做的？

－有哪一處中國的地方你很希望有機會一遊？

－你第一次聽「耶穌」的名字是甚麼時候？你對祂有
　何印象？

－哪一件東西、事情或人物能夠給予你最大的滿足
　感？

－在這房間中，試揀出任何一件東西，它帶給你甚
　麼的感受，回憶或思想。

1

門徒的原生家庭觀

引言

　　不少團友相聚了十多年仍是與其他弟兄姊妹有隔離感，不接納的人始終不接納，不投機的始終不投機，彼此存隔膜與疏離感。要小組成功，我們必須進到其他人的背景、生活以至內心世界中。進入弟兄姊妹童年中是一個好的開始。這一課的目的是：

- 幫助我們了解弟兄姊妹的成長過程，以致明白其性格何以這樣。

- 使我們更知道他最易受傷的是甚麼，不去揭露對方瘡疤。

- 更能彼此接納。

- 更曉得如何彼此建立。

化冰問題

1. 為何奧斯華 (Harvey Lee Oswald) 要殺死美國總統？據監獄團契 (Prison Fellowship) 在1996年調查有暴力傾向殺人傷人者，逾百分之九十以上來自破裂家庭或有着不愉快童年生活。為何這些人容易有暴力傾向？

   Harvey Lee Oswald 這個案討論與本課內容息息相關，組長宜鼓勵組員儘量分享他們的看法。組長在總結時宜強調，童年的不快若處理不當，會影響一個人的一生，包括身心靈健康，家庭、事業，甚至整個社會均會受影響。

2. 請分享你對童年之回憶？

   這兩個問題除了有化冰作用外，還增加組員間彼此認識的作用，藉了解他們的過去，我們可以更接納及了解他們的

現在。在分享過程中，若組長發現組員現在仍深深受到過去的陰影困擾，有些陰影仍然沒法脫離，令他們覺得苦惱，組長應在該組員分享完後，即時暫停其他組員之分享，邀請全組弟兄姊妹一起為該組員禱告，其作用是支持、安慰，包紮傷口及醫治。組長越是能身同感受，與他認同，組員感受到之幫助便越大。然而，組長要謹記，禱告時要肯定神能改變一切，祂甚至可以將咒詛變為祝福。組長可呼求神在今天的小組聚會，在今天的查經中，直接向該弟兄/姊妹說話，安慰他，並打破咒詛，賜下祝福。

3.　林後5:17說，「若有人在基督裏，他就是新造的人，舊事已過，都變成新的了。」請分享有哪些童年的困擾在你信主後已得到釋放了！

這是緊接上題的跟進問題，也是組員的見證分享時間，其實，這段時間已經是醫治的一部分。不少自憐的人往往覺得自己是世上最可憐的人。但相信從 (1)、(2) 及 (3) 的分享，大家可清楚知道，有不幸遭遇者舉目皆是。然而有些人不受其影響，有些卻深受「其害」；有些帶給他積極的影響，但另一些則只有負面的影響；有些影響較大，有些則影響較小；關鍵何在？最重要的是我們與主關係如何？生命的改變，視乎一個人是否「在基督裏」，不是在乎一個人是否已受洗，或有多少年日、時間在教堂裏。何謂「在基督裏」？就是祂怎樣看，我們就怎樣看；祂怎樣想，我們就怎樣想；祂怎樣行，我們就怎樣行。我們的價值觀、人生觀有多少成是受到祂影響？被主影響及改變越大的，能擺脫童年負面影響之能力自然也越大。

4.　俗語有云：「英雄莫問出處。」從苦境不幸環境出身的人，是否一定沒有前途？從小康之家、幸福快樂環境中長大

的，是否一定出人頭地？事實告訴我們，不一定。我們怎樣積極看人生及我們的信仰，肯定可使我們扭轉乾坤。

這是查經前引起興趣的問題，組長可鼓勵組員儘量發表他們的感受。因這是假設問題，所以組員應較為開放地發表他們自己的意見。組長可請組員舉例支持他們的答案。

查經

5. 請讀士師記11:1-3。耶弗他的童年是否幸福？請解釋，若你的身世一如耶弗他，你的感受會如何？你覺得人會怎樣看你？像耶弗他一樣成長的人，長大後大部份會變成怎麼樣？為什麼？

神建立我們時，往往喜用一些「很絕」(特別有代表性) 的例子。耶弗他是妓女之子。他不獨是妓女之子，童年處境也十分可憐。他及母親被趕逐，生父也不加保護，他們遂成為孤兒寡婦，無人照顧，妓女有了兒子，自然亦無以為生。他幼時與匪徒為伍，明顯是在社會中找不到任何不計較他過去、接納他的人。因此，他只有與被人遺棄的匪徒及被社會遺棄的人為伍。在人看來，耶弗他的童年絕不幸福。組長可問組員，若他是耶弗他，是否會自暴自棄？學壞？鋌而走險？事實告訴我們，絕大部份如耶弗他一般背景的人多會加入黑社會，與罪犯、監獄、毒品為伍的。

(6.1) 是甚麼因素令耶弗他成為以色列人的領袖？

耶弗他後來成為以色列人的領袖，元帥，總統。耶弗他之所以成為以色列人的領袖，百分之百是神的恩典，但百分之百也是他個人的努力。士師記11:1說到耶弗他是大能的勇士，為何聖經對他有如此正面的評價？到士師記11:11

他更作了以色列人的元帥，作了他們的士師，成為國家元首，三軍總司令。是甚麼因素使他脫胎換骨？

(a) 他的名字有何意思？

「耶弗他」(Jephthah) 原有「耶和華開路」的意思，用在耶弗他身上十分恰當，人的盡頭就是神的起頭，他縱然與匪徒為伍，但仍潔身自愛；那些一起的匪徒亦並非壞透的，英文聖經將「匪徒」譯為 "adventurers"，指冒險者、無家可歸者。如梁山泊好漢一樣是被逼上梁山；第三可能是他後來認識神，所以脫離了匪徒的圈子。組長可問組員是否認識到類似的人物，如李賢義、陳慎芝、蕭智剛等人，請\加以介紹(見附錄見證)。從士師記11:11他受到邀請去與亞捫人爭戰，隨即去到神的面前「將自己的一切話，陳明在耶和華面前」這一行動看來，他顯然在過去的日子已建立了對神的信仰，以致能「出淤泥而不染」。或許他曾敗壞過，但終能「脫胎換骨」。他經歷的神，正如他的名字一樣，是「開路」的神，是不會將人置於絕路的。哥林多前書10:13說「你們所遇見的試探，無非是人所能受的。神是信實的，必不叫你們受試探過於所能受的；在受試探的時候，總要給你們開一條出路，叫我們能忍受得住。」

(b) 神有否離棄過他？從可見得？

神揀選人，不會帶有色眼鏡去看他，無論耶弗他的地位如何低微，在人眼中，他可能是「爛泥扶不上壁」(即「孺子不可教」的人)，但神卻看到他的潛能，仍揀選他，透過長老邀請他作士師，作以色列人元帥。長老是以色列的宗教領袖，他們去找耶弗他顯然是神的意思。

(c)　　所謂時勢造英雄，神為他預備怎樣的時勢？

　　　　神預備時勢：亞捫人攻打以色列，以色列人根本無人可與他們抗衡，但神預備了最有利的時勢。

(d)　　長老找他作元帥是出於誰的意思？

　　　　長老是以色列人的屬靈領袖，他們去找耶弗他作元帥，必定要通過神一關，明顯，神不計較他的出身，對他一視同仁。

(6.2)　他自己又如何盡上本分？

神有恩典，但人亦須有回應。真正脫胎換骨的門徒，必須是百分之百神的工作加上百分之百人的工作。若我們自暴自棄，只活在過去自卑自憐的籠牢中，則枉費了神的恩典。耶弗他又如何盡己本分，以致神的工作在他身上能發揮得淋漓盡致？

(a)　　「大能的勇士」是何意思？他應具備什麼條件？這是否先天的？還是後天的？

　　　　他操練自己成為大能的勇士 (1節)，在體能、武藝、兵法和領導才能上努力學習及操練。這一切絕對是後天的。

(b)　　他與神的關係如何？從何見得？

　　　　他努力與神建立密切的關係 (11節)，這種關係肯定使他品格更好；處理逆境更鎮定、更正面、更樂觀；情緒更穩定，這是叫人口服心服領袖的必具氣質。

(c)　　他怎樣對自己的童年？

　　　　他不自暴自棄，反而緊隨神，發奮圖強。

(d)　　他怎樣對待父家的人？

　　　　他忘記舊恨，饒恕曾傷害他的人，仍去救他們 (10節)。可見他的成功，殊非僥倖。

應用及禱告

7. 這經文帶給你甚麼鼓勵、安慰、責備或提醒？附錄見證又帶給你甚麼激勵？

這問題是直接的應用，讓組員反省自己。組長亦可鼓勵他們分享在耶弗他身上學到了甚麼榜樣，附錄見證又帶給他們甚麼激勵，然後請他們分享如何逐步改善自己的盲點及弱點。最後，組長可給組員一些時間禱告，在禱告裏向神立志，悔罪及得着！然後組長為各組員作一感恩禱告，感謝神的愛及恩典，藉聖經給予之領受，並且彼此代求。

8. 你父母有否偏心待你們兄弟姊妹？若有的話，你童年的感覺如何？

弟兄姊妹處境，可能極少有如耶弗他般的不幸，但不少人在童年仍覺得不快樂。其中一原因，可能是他們對父母、老師的「偏心」(大細超) 耿耿於懷。

(9.1) 大衛在父親眼中，與他哥哥們有何不同之處？

在猶太人的社會中三，七，十二，都是完全數字，有七個兒子或十二個兒子者更自覺是神特別恩寵。故此，在完全數字以外，再加了一個，往往被視為「多餘」的負累。大衛是排第八，他在家明顯得不到與兄長同等地位：

① 大祭司撒母耳來訪，是以色列人極榮耀的事，與一家吃祭肉更是千載難逢機會。照理耶西應叫所有兒子回家與撒母耳一起吃。但他卻忘了小兒子，排第八的大衛。直到撒母耳問起還有沒有其他兒子，他才想起大衛來。

② 所有兄長在陪撒母耳吃喝，大衛卻要看羊，勞苦、孤

獨地工作。

(9.2) 若你的童年像大衛一樣，你會有何感受？

這是弟兄姊妹分享感受的機會。

(9.3) 大衛被神揀選，又屢敗外敵，與他的童年有何關係？

大衛明顯沒有受童年的不平等對待有負面影響，反視之為加料訓練，操練倚靠神，操練氣力，武藝、甩石技巧、準繩，操練與獅子、熊搏鬥，卒一舉戰勝歌利亞，為國爭光。

結論

曾經有人說了這樣的一個故事，在一隻小象出生後，便有人將牠綁在一木柱上。後來，這象越來越大了，變成一大象，然而，牠竟然仍被繫於一根木柱上，而這木柱，根本是牠不用費吹灰之力便可以拔掉的。何以牠仍不脫離木柱？主要是心理因素影響！其實，當我們留意信主後之身分與地位、主已賜給我們的能力及應許時，我們絕對可以克服童年的捆鎖。最重要的是，我們願意仰望主，靠祂所賜的力量去克服心理障礙。

門徒的價值觀

引言

　　一個人幸福與否，快樂與否，是甚麼因素決定的？是命運？是風水？是生長環境？是幸運之神眷顧與否？是全憑個人努力？極少人會想到成功者之中有些很快樂，有些卻充滿壓力；富戶有人很幸福，有人卻十分多憂慮；窮乏人之中亦一樣，有人很開心，有些卻抬不起頭見人；失敗者之中，有人以失敗為激發自己奮鬥的因素，但亦有人因此自暴自棄，充滿自卑，不敢見人，甚至自尋短見。為甚麼他們有那麼不同的反應？他們的價值觀，是決定性的因素。

化冰問題

1.　　甚麼是價值觀？請按你所知的加以解釋。

　　這純屬化冰問題，可增加組員彼此了解，亦可帶入主題。

　　價值觀定義：一個人衡量事物輕重、優先序、重要性、個人價值、取向之標準。

(1.1)　你覺得一個人的價值觀對他有何影響？

　　一個人的價值觀、擇偶、管教子女等，直接影響了他對自己的看法、對別人的看法，也直接影響了他行事的優先序。

　　此外，價值觀亦直接影響我們下列東西：

(a) 自我形象：一個人若自卑，他／她會自覺無用，比不上人；在別人心目中的「成就」、「容貌」及「地位」不如人，擁有的東西不及人多。

(b) 升學及就業：很多時候，我們找工作、唸書不是

出於興趣，乃是為前途 (prospect)、賺錢、出路。

(c) 擇偶：在每個人心目中，都有一些「條件」去選擇我們的配偶，這些「條件」的形成離不開我們的價值觀。

(d) 優先次序：我們的優先次序會直接影響我們分配時間的原則。很多時候我們聽到別人說：「沒有空！」，其實每人都是有24小時一日，何以說沒有空？其實他是說：「我現在做的比那個更重要。」

(e) 對人之接納與否：我們的價值觀亦直接影響着我們對別人之看法及態度，我們是否喜歡一個人，羨慕一個人，先入為主的接納一個人……都與我們價值觀有關！很多時候，這些觀念亦影響了我們的人際關係。

(f) 對下一代之教養：我們的觀念會影響我們對子女的要求！組長在總結時，可問問組員之親身經歷，看看他們是否有同感，他們受影響的程度又如何。若組長發現有組員在分享時仍受影響，或是仍有陰影，他應暫停分享，為該組員禱告以示支持，發揮醫治功能。

(1.2) 你的價值觀受誰影響最深？

到底一個人的價值觀從何而來？影響我們最多的，包括下列因素：

(a) 我們的父母或家中最有權威的人：因我們自小受他們影響，他們的觀念，很多時候會根深蒂固的印在我們腦海中。

(b) 師長：特別是那些我們最欣賞最喜歡的師長，他們的價值觀亦會影響我們未來的生活取向。

    (c) 朋友：人都怕離群，怕被遺棄，所以很自然地，
       我們的好朋友所追求的也成為我們所追求的。

    (d) 大眾傳播：在這科技、資訊越來越發達的社會
       中，大眾傳播、最受歡迎的明星對人的價值觀影
       響舉足輕重。

    (e) 信仰：在一個人信了主以後，神的話對真誠信主
       的人應該產生重整價值觀之作用。若一個人信主
       後價值觀一點兒沒有改變，則除非他一生下來接
       受的價值觀已經是聖經的一套價值觀，否則他還
       未真正悔改！

      組長可讓組員自由分享，何人影響他們的價值觀
      最深。

2. 個案一

    子強自升上中學後，文科成績十分出色，中文作文尤為突出，中文、中史、地理、歷史等科均名列前茅。然而當他升中四時，父母希望他讀理科，說讀文科沒有前途，他們希望他唸醫科，將來做醫生。而子強的同學亦以唸理科為榮。結果，中四開始，子強的成績一落千丈，在期中考試及所有測驗中，除了中、英二科外，其餘科目全不及格。他越來越不喜愛理科科目，但父母堅持他要讀下去，結果，中四下學期考完試後，子強尚未拿成績，竟跳樓身亡。父母認屍時抱屍高呼：「為甚麼？為甚麼？」

    (2.1) 是什麼令到子強自殺身亡的？

       子強的自殺，表面看來，是因學業失敗，成績不如理
       想。細究背景，我們可以肯定子強自殺是因為他根本
       不喜歡、不享受唸理科，但他欲唸文科的心願卻因父
       母的反對而無法成功，鬱鬱不得志，故可能以死對父
       母表示抗議。

(2.2)　子強父母對兒子有何期望？這是否一般人的期望？他們的價值觀有何問題？

子強父母對兒子的期望是想他唸醫科，將來做醫生。他們的價值觀反映了無數父母的心聲：望子成龍，名成利就，賺多些錢，光宗耀祖。這種價值觀直接帶給兒女無形的壓力，將自己期望硬套在兒女身上，希望他們去完成自己未完理想。這做法很容易帶來悲劇，如子強一樣。

(2.3)　若你是子強，對父母的要求你會有何回應？

這是回應及出路之分享，組長可讓組員盡情分享。

3. 個案二

李弟兄是政府高官，在九七回歸前一年將妻子、兒女帶到加拿大移民，自己則回來繼續工作，原因是他捨不得那份優厚待遇。兩年來，夫妻二人每年只有兩星期左右一起生活，兩人溝通越來越多問題。就在他們關係越來越疏遠之際，突然殺出了第三者，在孤單的李弟兄心中成了吐苦水的異性對象，卒使李弟兄的婚姻陷於無法修補的景況中。

(3.1)　李弟兄的選擇是否一般香港人的反映？

李弟兄的選擇其實也是無數香港人的選擇，「香港式太空人」其實就是用來形容如李弟兄一樣的港人。

你是否認同他做太空人的選擇？組長可讓組員自由分享。但組長在總結時宜強調香港式太空人的代價。

(3.2)　李弟兄認為事奉 (賺錢) 與家庭，那一樣更重要？

導致李弟兄作出這樣決定的主因是價值觀的取向：他看事業、賺錢、較豐裕的物質生活比家庭更重要。他婚姻的破裂肯定與他選擇作港式太空人有關：

- 太太、子女最需要他時，他不在身邊。
- 見得少，自然溝通也少了，夫妻自然越來越陌生和生疏。
- 自己有情感需要，太太也不在身邊，這是造成第三者趁空而入的機會。
- 人性基本是敗壞的，沒有與妻子和家庭在一起，人很容易落在試探中而不自知。

4. 個案三

黃弟兄任職某醫院，自該院醫務總監退休後，他即代理其職務，兼一部的醫務主任，因繁重行政工作，經常開會、見傳媒等。他三個月來，連睡眠也不足，更遑論小組、崇拜甚至靈修了，他在主日用大半時間睡覺。當醫院後來正式邀他任醫務總監時，他經過與妻子及牧者禱告，決定不答應，仍維持主任醫生職位，寧少四分一薪水，過一個平衡而可以敬拜事奉、帶小組及密切家庭生活的人生。

(4.1) 黃弟兄認為事奉 (賺錢) 與家庭，那一樣更重要？

黃弟兄的選擇肯定不是一般香港人的選擇，因一般港人追求的是名、位、財。醫務總監對人有很大吸引力。

(4.2) 若你是黃弟兄，你會作同樣選擇嗎？為甚麼？

組長可以讓組員自由分享他們會否作出如黃弟兄一樣的選擇。

(4.3) 黃弟兄看重的是甚麼東西？

黃弟兄看重的，是與神關係、與家庭關係及事奉的平衡的生活。

查經

神要求我們重整價值觀

價值觀的重整是每一位信徒必須的，事實上，神要求我們在信主之前便要立志，有願意的心重整我們的價值觀。然而，這種價值觀的改變卻非一朝一夕的事，乃是一個艱巨的過程。價值觀的重整乃是我們繼續不斷學習的功課。

5.　馬可福音1:15說：「日期滿了，神的國近了。你們當悔改，信福音！」猶太人在切慕早日復國，渴慕彌賽亞早日降臨；叫他們可享受獨立、自由、受尊重、和睦幸福、太平之國度；主來世後第一篇公開信息是針對他們這特別需要而宣佈的。「時候滿了」—猶太人等了五百多年 (敗於巴比倫後)，現已經等夠了；「神的國近了」(這是原文意思，意指神掌權之國度已告開始了)。但人如何可以嚐到這國度的滋味？

「你們要悔改，信福音。」百分之百是人的責任，百分之百是神的恩典。

(5.1)　要進神的國享受一切豐盛的人必須符合哪兩方面條件？

要進神的國享受豐盛人生，人必須符合二條件：

a.　悔改是從希臘文的metanoia或希伯來文的shub而來：

" metanoia"即心思意念之改變，這是人的責任包括：

- 對罪之觀念：認同神對罪之看法，以致承認自己是無力自救的人。

- 對神、對主的觀念：相信主耶穌乃神的獨生子，是以無罪之身來世代替罪人死在十字架上，是惟一的救主，是我們生命的主。
- 對價值觀、人生觀、道德觀、婚姻觀均以神的觀點及原則為準。

希伯來文悔改乃從 "shub" 而來，原有「回頭」、「歸回」(U-turn) 的意思。

可見希臘文的悔改重視內心的改變，希伯來文注重行動上的改變。但二者息息相關，缺一不可。

悔改是人的責任，沒有悔改，人無從經歷神國境界。

b. 信福音：信就是接受 (約1:12)，福音就是好消息，基督教的好消息乃是神的兒子耶穌基督無條件替人贖罪身死，以無罪的代替我們的罪。只要我們肯接受祂為惟一的救主、為我們生命的主，我們即有永生，有復活盼望，有赦罪的平安。悔改越徹底者，就活得越豐盛。

(5.2) 有些人信了主多年，毫無改變，且活得很苦，但亦有些人信主後脫胎換骨，十分喜樂、豐盛，為何有這樣的分別？

主要關鍵，是一個人是否徹底悔改，人生觀，價值觀，對神、對罪的觀念是否已徹底改變。「換湯不換藥」的信仰是無從經歷豐盛人生的。

(5.3) 一個深信主及接受聖經之價值觀的人／家庭會導致 (2) 及 (3) 題所舉之悲劇發生嗎？為甚麼？

深信主又從心底裏接受聖經價值觀、人生觀者不可能發生 (2) 及 (3) 題所列出之悲劇的。箇中原因，組長可

請組員分享所得。

6. 馬太福音6:25-34的主題是不憂慮的秘訣，6:24似乎與下文毫無關係，但其實二者息息相關。要從憂慮中獲得自由，我們必須對神及對錢財有正確的觀念。

(6.1) 甚麼是事奉瑪門？事奉瑪門會導致甚麼結果？你能舉例說明嗎？

「瑪門」就是錢財的意思，事奉瑪門就是視錢財為主，為「波士」(老闆)，視錢財為優先，為非要不可的東西，甚至比神，比家人，比親情，比良心，比道德為重要。「事奉瑪門」帶來甚麼惡果？

組長可請組員自由分享，亦可剪報章所載相關的新聞加以解釋。

(6.2) 甚麼是事奉神？為何事奉瑪門便不能事奉神？

事奉神就是以神為主，為優先，為非要不可的。一個視錢財如命、事奉瑪門者不會有時間給神，亦不會考慮神給我們的原則，按祂的真理而行，在作決定時亦不會考慮祂的。

7. 腓立比書3:4-8十分清楚地將保羅的價值觀轉變繪畫了出來，信主前，他以名譽、地位、錢財、人的稱讚、努力等為追求目標。

(7.1) 保羅在信主後，價值觀有何改變？

腓立比書的記載明顯在價值觀上的改變，將以前看為寶貴的，現在卻視為有損，甚至視為糞土。信主後，他以認識及傳揚主，建立門徒為他的人生目的。

(7.2) 你信了主以後，又有甚麼改變？

(7.3) 價值觀的改變使你活得更快樂還是更痛苦？請分享！

(7.2) 及 (7.3) 有關組員信主後的改變及經歷，組長
可讓組員盡情的分享他們的經歷。分享之後，組長可
請組員在禱告中感恩、認罪、立志，使自己繼續按神
真理而行。

結論

　　這次查經叫我們知道錯誤價值觀對一個人的影響，也提醒了
我們要重整價值觀的需要。但是甚麼才是正確的價值觀？我們應
如何糾正？跟着的查經會逐步告訴我們從何才可以找到正確的價
值觀。俗語有云：「人在江湖，身不由己！」到底我們怎樣才可
以脫離錯誤的價值觀？從過去掙扎以至突破自己的過程中，與從
無數弟兄姊妹的經歷中，我看到了一些原則：

1.　　認定世人的價值觀，或錯誤的價值觀對人有負面的影響，
　　　經歷越多、體驗越深者便越感到非要改變不可。

2.　　認定神的價值觀能帶給我們豐盛快樂人生，所以非要認識
　　　祂旨意不可。

3.　　認定「近朱者赤，近墨者黑」的道理，多花時間與弟兄姊妹
　　　團契及查考神的話。

4.　　帶着使命感與持錯誤價值觀者相處，分享自己經歷及體
　　　驗，將主的價值觀介紹給他們，又解釋這些觀念如何幫助
　　　自己從痛苦、壓力及自卑感中釋放出來。

　　奧古斯丁説得好，「一點點的信心能帶你進天堂，但大的信
心能將天堂帶進你心。」

門徒的自我形象觀

引言

在《為甚麼我不敢告訴你我是誰？》那本書中，作者指出普遍人不敢將自己的內心世界，特別是一些失敗、挫折、不愉快的經歷告訴別人。報喜不報憂成了今天大部分人的「金科玉律」及行徑。結果，無數不幸的事：自殺、精神病、離婚、兇殺然後自盡……層出不窮，當這些事情曝光時，已經是「救無路矣！」。為甚麼一般人會報喜不報憂？顯然，這與他們的自我形象是息息相關的！

化冰問題

1.　　請看下列圖片，假若你是他／她，你會有何感受？

這純粹是化冰問題，但卻可從組員答案中，多多少少了解到他們對「外貌」之看重程度。

2.　　請分享，你覺得自己有價值嗎？為甚麼？

這題提供了比較深入的彼此了解機會。組長需要留意的，不獨是組員是否覺得自己有價值，乃是為甚麼他們覺得自己有／沒有價值。這部分問題之答案可以告訴我們組員本身之價值觀是怎樣的。組長跟着指出，我們為何有此觀

念，乃因別人之觀念影響。

3. 心理學家指出，一般人衡量一個人價值的方法，是藉下列
   東西：

   (i)　我的樣子生得怎樣 (appearance)？ (ii) 我的成就如何
   (accomplishment)？ (iii) 我的地位如何 (status)？

   心理學家指出，一般人是用樣貌、成就、地位去衡量
   一個人的價值。組長可以唸出心理學家之看法 (見問
   題部分)，然後問組員是否同意。同意又如何？不同
   意又如何？組長跟着說明，我們的價值對我們是有一
   定影響的。

4. 請思想，上述哪一方面的東西是你曾感失意、失落，令你
   不接納自己？

   現在你是否仍受着這些東西困擾？曾否想過要擺脫它們？
   怎樣擺脫？

   若你已經從中得到釋放，請分享你是如何得到釋放的。

   這題緊接上題，說明了我們的價值觀如何影響着我們。在
   聽組員分享時，需要留意他們在哪些方面曾感到失意、失
   落，令他們不接納自己。若有些組員到現在仍受着那些失
   敗感、失意感的困擾，組長應暫時停止其他組員的分享，
   鼓勵組員一起為那位組員禱告，盡量用神的話，用自己對
   他／她的肯定去鼓勵、安慰支持他／她。若組員完全無問
   題，在各方面亦不受困擾，則組長可請一、兩位組員或組
   長自己為他／她感謝神。請緊記，這問題不獨使組員彼此
   更多了解，也是彼此醫治的機會。

查經

5.　最佳的醫治，莫如神自己對我們的肯定。組長在總括 1 至 4 題時，要恭喜那些自我形象較健康、深覺自己有價值者，但另一方面組長亦要強調，若一個人覺得自己有價值，純因成就、地位、樣子等，那是十分危險的，因我們不能保證自己永遠可以擁有那些東西，亦無從保證自己長期有能力為自己帶來成就，萬一失去或到自己一事無成時，我們即會受影響。如何可以不受影響？如何可以在樣子、成就、地位均不如己意時仍能享豐盛人生，不會覺得自卑？「從世人之價值觀脫離出來！」讓我們改變自己觀念，以神的看法去看自己價值！

以下是各段經文之意義

(5.1)　人受造時有何特別的地方，使他有價值？(創世記1:26-27)

　　a.　每一個人都是獨特的，「造人」的「人」字在希伯來文是單數的，亦可翻成「每一個人」。神不是造每一個人皆一模一樣的，人不是「倒模」造出來的，乃是逐一、獨一由神精心設計造成的，每個人的指模均是獨特的，樣子、性格也是獨特的，所以我們不需要做別人，不需要跟別人一樣，毋須與人比較，因為沒有人能代替你。

　　b.　我們是無比尊貴的：因我們是神按着他的形象和樣式(即他的屬性：聖潔、公義、智慧、能力、德性、愛……)造出來的。我們有靈、魂、體，不如動物只有魂和體，我們可與神交通。(參傳3：19-21)

    c. 我們是無比高貴的：因神將萬物交給我們管理與治理！

(5.2) 宇宙的主宰怎樣看我們的價值？（羅馬書5:7-8）

我們的價值無法量度——因神的兒子、宇宙的主、我們的主耶穌基督竟然用祂的生命來買贖了我們的生命。組長可用比喻解釋：要是組員要換腎才可活下去，而世上最有地位、最受人敬仰的偉人竟願捐腎救他，他的感覺會如何？

(5.3) 詩篇113:7-8

    a. 住在糞堆中、灰塵裏的人是甚麼人？

        在糞堆中、灰塵中的人肯定是最窮最無地位，最被人看不起的人。

    b. 按神的應許，他們將來都會變成怎樣？

    c. 我們信主者將來有何榮耀？

        無論我們是如何卑賤，甚至賤如糞土，但神竟讓我們與祂的兒子同坐，且一起與祂同作王。這是何等高貴的身分與榮耀！正如乞丐王子不會因暫時做乞丐而自卑，因他知道自己本來身份。

(5.4) 路加福音12:48

    a. 人對自己所管有何責任？

        人對自己所管的只要盡上百分之百的忠心。人只是管家，像銀行裏的櫃員 (teller) 般，只是替神管理一切而已。

    b. 若你是銀行的櫃位員 (teller)，你見到同事數錢比你多時，會眼紅、嫉妒嗎？為什麼？

        這是組員分享的機會。筆者相信有任何櫃位員因

見同事數錢比他多而嫉妒他的。

c. 我們應否嫉妒那些比我們好的人？為甚麼？

世人有的就向人炫耀，沒有的便嫉妒、自卑。但神告訴我們，無有的毋須妒忌有的，有的亦不可沾沾自喜，因為神會要求每一個人向祂交賬。祂給誰越多，向他取的就越多，一切均從神而來，也要歸回神。

(5.5) 哥林多前書12:27

a. 聖經稱信徒加起來是甚麼？

經文稱信徒加起來就是基督的身體，我們都是身體上的肢體，互相配搭。

(b) 肢體與肢體之間的關係應是怎樣的？肢體之間會比較、競爭嗎？為甚麼？

這經文告訴我們，我們都是基督身體的一部分，肢體各有不同功用，手毋須妒忌腳，口毋須妒忌耳、眼等。若手彈琴取得獎，整個人的每一肢體都得榮耀。（假如美國籃球隊因有奧尼爾、柏賓、米高佐敦、魔術莊臣等助陣，憑他們出色球技，替美國得到奧運金牌，其他隊員會嫉妒他們嗎？）

(5.6) 哥林多前書4:1-2

a. 聖經稱信徒為神的甚麼人？

聖經稱信徒為神的管家。

b. 神要求我們的是甚麼？

我們既是神的管家，就表明了：

● 我們所擁有的一切皆屬神。

● 我們不需介意別人怎樣看我們，最重要是神怎樣看我們，祂要求我們的，是「忠心」(盡己所能)，不一定是果效。

(5.7) 腓立比書3:7-8

a. 保羅怎樣看世上萬物？

保羅視世上萬物為「糞土」。

b. 若你也有保羅的看法，你會為失去的，及比別人少的而不開心嗎？為甚麼？

組長可先請組員分享，然後作結：

世人用來「托」起自己價值的東西其實皆糞土而已，無永恆價值的。試想，若你的同事每月比你多得兩籮「糞土」，你會嫉妒他嗎？為何加薪比我們多，我們便不舒服？因為我們的價值觀尚未改變！

(5.8) 彼得後書3:10

a. 這世界及其中一切將來有何結局？

現今被人用來「托」起自己價值的東西，在主再來時均被燒盡，無一倖存，惟有我們的永生、為主所作的、為主奉獻上的、傳福音的果子所帶來之獎賞、品格之建立等能存到永遠，被主記念。

b. 當你離世時，有甚麼東西你可帶走？甚麼東西不可帶走？這對你有甚麼提醒？

組長可讓組員分享。

6. 以上哪一節經文對你幫助及提醒最大？有甚麼觀念是你立志要改變的？

在分享經文意義後，組長可請組員分享哪一節對他們幫助

最大，為甚麼？然後請每一組員禱告，為所學的感謝主，
又在禱告中向主認罪；得到自由及安慰的，向主感恩。

結論

若我們的價值觀建立在神的話語上，深信我們的自我形象，
對失敗者的態度亦會改觀。在遇到子女、學生、下屬、親友失
敗，不及格時，我們絕不會「落井下石」，乃是會諒解及安慰他
們的。

4

門徒的人生觀

引言

　　諾貝爾得主海明威在名利雙收之際，竟自殺身亡。日本名作家，也是諾貝爾文學獎的得主川端康成在得獎後二年開瓦斯（煤氣）自殺，可能原因，是其學生三島由紀夫因發動政變失敗，剖腹自盡而臨終前曾說：「人生有如花朵，當它開得最燦爛之際，就讓它轟轟烈烈地死吧！」。每天的新聞，報道無數為情謀殺、自殺，為失業而自殺，為生意失敗自殺及為欠債自殺的人。為何他們會因此走上不歸之路？人到底為何而活？錯誤的人生觀會容易使人意志消沉，自尋死路。佛家有云：「人若以可失的為不可失，視短暫的為永恆，看會變的為不變的則痛苦在所難免！」然而，甚麼是可失的？甚麼是不可失的？甚麼是可變及不變的？甚麼是短暫的？甚麼是永恆的？這正是我們在這課中要探討的！

化冰問題

1.　　請分享你小學到中學時曾有甚麼理想？哪些理想是否已達到了？達到(或達不到)後你的感覺如何？

2.　　在你一生中，得到甚麼，或是達到甚麼，你便會死而無憾？

　　1&2. 這些都是化冰問題，組長宜盡量鼓勵組員分享。一方面增加彼此了解，另一方面，讓組長在帶組時更懂得合宜的應用，又懂得如何為組員的需要禱告。

3.　　你是否同意下列句子？為甚麼？

　　這也屬化冰問題，也可讓組員去反省的。

　　(3.1) 世上的名、利、錢財就如海水，是不能止渴的，且會喝得越多越口渴。

這是凱撒大帝 (JuliusCaesar) 有感而發的。事實告訴我們，極少極少有錢人認為自己已經賺夠，不需再賺。

(3.2) 人若以可失的為不可失，執着可變的以為不變，視短暫的為永恆，則痛苦在所難免。

這是出自佛家口中的話，可惜他沒有指出何謂短暫，何謂永恆，何謂可失，何謂不可失。組長可補充，除非他是創造及掌管我們生命的主，否則他不可能有絕對答案。

(3.3) 人生中最寶貴、也最能叫人活得豐盛的東西，沒有一樣是可以用錢買到的。

這是奧古斯丁所說的，組長可叫組員分享，那些叫人活得豐盛的東西，都是非用錢可以買得到的東西。

(3.4) 錢越多的人便越有安全感。

這是人的一種錯覺，組長可叫組員想一想，李嘉誠 (香港首富) 與一個乞丐單獨於晚上逛街，誰較有安全感？

(3.5) 世上的罪案絕大部分與錢財有關。

據美國一些報道，1989年的罪案有四分之三直接或間接與金錢有關。相信香港甚至各地情形不會相差太遠。

4. 腓立比書3:4-16記載了保羅人生觀轉變的見證。

(4.1) 保羅以前誇口些甚麼？他以甚麼為榮？

保羅在信主前引以為榮的，也是他一生追求的包括：

a. 第八天受割禮：

第八天受割禮 (這是昔日神真正選民的標記，這是神與亞伯拉罕約定的)。

    b.　以色列族、便雅憫支派：

- 以色列第一個王族，而第一位君王的名字正是保羅信主前的名字，可見他追求的是甚麼。
- 便雅憫是以色列眾子中惟一在應許地出生的，且是由雅各所寵愛的拉結所生。
- 國家分裂後，便雅憫始終在南國，保持對大家的效忠。
- 被擄回歸後，他們是重建聖殿的核心分子。
- 末底改也是便雅憫人。
- 這族努力抗拒異教文化的侵蝕，保持信仰純正。

    總括來說，他是說便雅憫人就是自認為最有資格得救的人。

    c.　希伯來人所生的希伯來人 (長久亡國，令很多希伯來人與外族通婚，純正血統的希伯來人常有優越感)。

    d.　法利賽人 (宗教及社會領袖，有崇高社會地位) 是宗教領袖，是律師，有財，有勢，有地位。

    e.　熱心逼迫教會 (這對當時人而言，是愛國愛民族的表現)，猶如四人幫時代熱心打擊走資派者。

    f.　遵守每一條律法 (道德上有尊貴身分者)。

(4.2)　現代人又以甚麼為榮？他們以甚麼為人生目的？

    組長在這題可讓組長盡情分享他們所看到的。

(4.3)　保羅信主後以甚麼作為他人生的目的？他有何改變？

    保羅信主後有180度的轉變，他的人生觀轉變後變為：

a. 視萬事如糞土，為要得着基督(試想，若你的同事每月比你多得兩籮糞土，你會嫉妒他嗎？)

b. 有因信神而來的義(以神完美品格為追求的目標)

c. 認識基督

- 曉得祂復活的大能(相信祂有復活的大能對我們有何影響？肯定，信徒不會怕死？)

- 曉得和祂一同受苦(祂是為何受苦？為救世人，為要人享永生及豐盛人生。)

- 效法祂的死(為義人靈魂，為福音，為神的國、神的義而死。)

d. 有從死裏復活的盼望(深信自己將來會身體得贖，能復活對自己有何影響？)

e. 追求得着基督所以要我得着的(包括永生、品格完全、福音、果子……)

f. 要得神從上面召我來得的獎賞(永恆的、不變的，參啟14:13；太19:28-29)

(4.4) 你覺得是甚麼令保羅的人生觀有所改變？(參林前15:3-8；羅5:7-8; 腓4:13；1:21-24)

令保羅有以上改變的因素包括：

a. 主的復活是客觀事實，也是他主觀的經歷(他親眼見到主的顯現)(林前15:3-8)

b. 主耶穌是彌賽亞，是真神也是代罪的羔羊，他經歷過無比的愛(羅5:7-8)

c. 他經歷過神的大能 (腓4:13)

d. 他看破了紅塵，認定只有在主裏的生命及東西才

是永恆的 (腓1:21-24) 世上一切皆短暫，會過去
的，但活着就是基督的人，連死也是「發達」機
會，是好得無比的。

(4.5) 保羅價值觀的改變使他失去甚麼？得着甚麼？你認為
值得嗎？

保羅的改變，使他失去：

a. 社會名望 (法利賽人、純正希伯來人，特別是迦
瑪烈弟子是十分高尚、受人尊崇的)

b. 金錢 (法利賽人是律師也是官，當時收入十分可
觀)

c. 地位

d. 權勢 (未信主前的保羅隨時有士兵保護，有軍
隊，隨時可捉拿與他立場不同者)

e. 安定生活

f. 物質享受

g. 成家立室機會

h. 肉體生命—他是在獄中被殺的

組長在這時可問組員，聖經有否說過所有信徒都會像
保羅一樣？若真正有需要，他們是否願意為主放棄／
犧牲上述東西？

得着：

• 永生

• 福音果子

• 經歷神的同在及能力

• 痛而不苦的人生

- 品格的建立

- 工作果效─得救門徒及教會如雨後春筍，這些都歸在他的賬上。

    明顯地，以上應許也是針對所有信徒來說的。

5. 請計算一下，你過去的努力使你得着了些甚麼？你所得的，有哪些你沒有把握可長久擁有、哪些你有把握可長久擁有，甚至可帶到永恆去？

    這題屬應用性問題，組長宜儘量鼓勵組員分享：他們過去的努力使他們得着些甚麼。然後回應，保羅所得的，有哪些他們有把握得到，且可帶到永恆。

6. 保羅對我們又有何期望？(參腓4:17) 這經文糾正了你甚麼觀念？提醒了你甚麼軟弱？又帶給了你甚麼盼望、安慰？

    腓立比書4:17帶出了保羅對信徒的期望

    果子＝ • 帶人信主，結福音的果子。

    • 愛人、關顧人、服事人而來的愛心果子。

    • 為天國拓展，為窮人及有需要的人而奉獻上的金錢。

    • 品格之建立。

    這些東西皆是永恆的，得了以後永不會失，且永遠屬於我們。

7. 所羅門王曾以什麼作為他的人生目的？

    (7.1) 傳1：1 (Position，Power)

    "在耶路撒冷作王、大衛的兒子、傳道者的言語。"

地位、權勢：他是以色列最強盛時的君王。其實，地位、權勢是今日世人夢寐以求的東西。

(7.2)　傳1:16-18　(Ph.D，Profession)

16　我心裏議論説："我得了大智慧、勝過我以前在耶路撒冷的眾人．而且我心中多經歷智慧、和知識的事。"

17　我又專心察明智慧、狂妄、和愚昧．乃知這也是捕風。

18　因為多有智慧，就多有愁煩；加增知識的，就加增憂傷。

知識、學位：所羅門王曾向神求知慧、知識。今天亦有不少人以此作為他們的人生目的，所謂「萬般皆下品，唯有讀書高」。亦有人以為「書中自有黃金屋，書中自有顏如玉」。他們以為，有學問、有學位自然有錢，有美女追求自己。有人繼續不斷進修則為了使自己事業更有成就，職位更穩固。

(7.3)　傳2：1-2，10-11　(Pleasure)

1　我心裏説："來吧！我以喜樂試試你、你好享福。"誰知，這也是盧空。

2　我指嬉笑説："這是狂妄"；論喜樂説："有何功效呢？"

10　凡我眼所求的，我沒有留下不給他的；我心所樂的，我沒有禁止不享受的；因我的心為我一切所勞碌的快樂，這就是我從勞碌中所得的分。

11　後來，我察看我手所經營的一切事和我勞碌所成的功，誰知都是盧空，都是捕風，在日光之下毫無益處。

另一樣所羅門王追求的東西是享樂，娛樂，享受人生。這亦是今天世人所響往的人生。論到享受，所羅門所有的聲、色、樂、韻，吃、喝、玩、樂；簡直無人能及，連賭王所擁有的，還不及所羅門萬份之一。

(7.4) 傳2：4-9　(Property)

4　我為自己動大工程，建造房屋，栽種葡萄園；

5　修造園囿，在其中栽種各樣果木樹；

6　挖造水池，用以澆灌嫩小的樹木。

7　我買了僕婢，也有生在家中的僕婢；又有許多牛群羊群，勝過以前在耶路撒冷眾人所有的。

8　我又為自己積蓄金銀和君王的財寶，並各省的財寶；又得唱歌的男女和世人所喜愛的物，並許多的妃嬪。

9　這樣，我就日見昌盛，勝過以前在耶路撒冷的眾人。我的智慧仍然存留。

另一樣所羅門王追求的，就是財富、物業，他所擁有的，「勝過以前在耶路撒冷的眾人」，可以說是「前無古人」富甲天下的首富！

(7.5) 現時的人所追求的與所羅門王有何相似的地方？

這時組員自由發揮的機會、組員分享完後，組長可強調「日光之下無新事！」

(8)　所羅門對追求到的一切有何感覺？

(8.1) 傳5：10-15

10　貪愛銀子的，不因得銀子知足；貪愛豐富的，也不因得利益知足。這也是虛空。

11　貨物增添，吃的人也增添，物主得什麼益處呢？不過眼看而已。

12　勞碌的人不拘吃多吃少，睡得香甜；富足人的豐滿，卻不容他睡覺。

13　我見日光之下，有一宗大禍患：就是財主積存資財，反害自己。

14　因遭遇禍患，這些資財就消滅；那人若生了兒子，手裏也一無所有。

15　他怎樣從母胎赤身而來，也必照樣赤身而去；他所勞碌得來的，手中分毫不能帶去。

a.　人永不會因錢多了而感滿足，如奧古斯丁說「上帝在人心裏放了無限大之空間，這空間只有無限大的神才可滿足它」的。

b.　一切都是虛空。

c.　得的越多，要用出去的也越多。

d.　勞碌者反睡得好，富足的人憂慮可能更多。

e.　人不能帶走任何東西。

(8.2)　傳1：2 傳道者說：虛空的虛空，虛空的虛空，凡事都是虛空。

所以，一切都是虛空。

(9)　所羅門勸世人追求什麼？(傳12：1) 為什麼？(傳12：2-8)

1　你趁着年幼，衰敗的日子尚未來到，就是你所說，我毫無喜樂的那些年日未曾臨近之先，當記念造你的主！

2　不要等到日頭、光明、月亮、星宿變為黑暗，雨後雲彩反回；

3　看守房屋的發顫，有力的屈身，推磨的稀少就止息，從窗户往外看的都昏暗；

4　街門關閉，推磨的響聲微小；雀鳥一叫，人就起來，歌唱的女子也都衰微。

5　人怕高處，路上有驚慌；杏樹開花，蚱蜢成為重擔；人所願的也都廢掉。因為人歸他永遠的家，弔喪的在街上往來。

6　銀鍊折斷，金罐破裂，瓶子在泉旁損壞，水輪在井口破爛；

7　塵土仍歸於地，靈仍歸於賜靈的神。

8　傳道者說："虛空的虛空，凡事都是虛空！"

(9.1)　所羅門勸世人趁着年幼，就要記念造他們的主，事奉祂，跟隨祂。

(9.2)　因為人的身體會衰敗，機會一去，我們便後悔莫及了。

身體漸變壞的地方包括：(1) 視力越來越弱 (2) 手顫 (3) 背彎 (4) 牙齒會壞 (5) 容易睡不着 (6) 聽覺漸弱 (7) 安全感越來越少 (8) 頭髮變白 (9) 無力 (10) 骨髓日衰，血氣不夠 (11) 記憶力衰退 (12) 失禁 (13) 便秘 (14) 隨時會離世

結論

在神眼中，世上最可憐的人，就是那些只「擁有」地上的，沒有擁有天上的；只有短暫的，卻沒有永恆不朽壞的！弟兄姊

妹，快些開始作永恆的投資，將會朽壞的去換取不朽壞的，短暫的去換取永恆的吧！這些有永恆價值的東西，很多時是我們「犧牲」一些短暫的東西方可得到的。例如，為神的國、為福音擺上的金錢；為人的需要付上的時間、錢財、精神；為人的得救、得建立付上的時間與精力；為了建立自己品格、生命而放棄屬世的引誘……這一切的擺上都會帶給我們永恆的果子，且帶給我們豐盛的人生。

5

門徒的苦難觀

引言

當人從母腹出生，來到世上的時候，怎樣才算是正常？筆者相信，無論是父母、醫生都希望聽到他的哭聲，哭得越大聲的便被視為越健康。其實，人生也是一樣，不如意的事十常八九。人生充滿苦難。然而，有人視小小的衝擊為天大的苦難，有人卻笑傲苦難，處之泰然。為何有這分別？他們的苦難觀，是關鍵所在。

化冰問題

1. 請分享，你過去所遭遇過的苦難，印象最深的是甚麼？它對你有何影響？

   這是化冰問題，在組員分享他們經歷最深刻之苦難時，組長須留意他們當中有誰仍被那些苦難經歷所困擾着，在有需要的情況下隨時停下來，為他／她禱告。另一方面，在完了整個聚會後，有些跟進的服事可能要展開：例如在一次小組聚會中，一姊妹分享受到一封律師信困擾，因她一位同父異母的兄弟在他們父親死後要趕逐她及她母親、妹妹離開所住之處，説房子是父親留給他的。然而，那幢房子主要是她們母女三人合資購下，每月供款亦是由她們負責，只不過她們不想父親太「難堪」，所以也把他的名字放在契約上，怎知竟被人得寸進尺。組長及組員聽完這分享後，分別聯絡了一些主內律師，最後由一弟兄律師幫助她解決了問題，毋須受人恐嚇。這姊妹深感主內組員、組長之愛心，知道幾位弟兄姊妹不約而同地去聯絡一些主內律師時，她十分感動，她更多了解及體驗到主內弟兄姊妹的愛。

2.　下列東西哪一樣是你最不願發生在自己身上？哪些你曾經
　　歷過？

(a)　你的車子被撞，但對方竟用假證供，結果你要賠錢。

(b)　你到中國大陸旅行，送了一福音單張給一同胞，其
　　　後，他被捉去坐了兩年監。

(c)　你被械劫，值錢的東西都被拿光，且被打傷。

(d)　失業半年，家裏試過連續兩天沒飯開。

(e)　連續多天睡不着、失眠。

(f)　父／母重病 (癌症)。

(g)　家裏失火，所有東西毀於一旦，但保險公司說是你放
　　　火，想騙保金，結果一分錢也拿不到。

　　　這也屬化冰問題。組員的經歷會影響他們的答案，但
　　　相信大部分人不願見到任何一樣事發生，特別是
　　　(f)、(b) 及 (g)。

　　　管有人說：「苦難，是磨煉人品格之最高學府！」但一
　　　般人都不喜歡受痛苦。受過苦難者亦有很多不同反
　　　應：有人經歷苦難後變得鬥志盡失，意志消沉，開始
　　　逃避，在精神上亦有很大缺陷；但亦有人變得更成
　　　熟，更有能力，更有信心，更曉得感恩。

　　　關鍵在哪裏？主要繫於我們怎樣看苦難、我們對神的
　　　信心及我們的支持網絡如何。

3.　有人說，世上有三類人：

(3.1)　未痛而苦。

(3.2)　痛則苦。

(3.3)　病而不苦。

　　　你認為你基本上是屬於哪一類人？詩篇119:71中詩人

說：「我受苦是與我有益，為要使我學習你的律例」，詩人又屬哪一類人？

組長可繼續問組員是屬於哪一類，然後請他們翻到詩119:71看看詩人屬哪一類。(詩人認定「受苦有益」，因苦難使他更明白神的律法，更了解人生，更經歷到神的同在及安慰。可見他乃一位痛而不苦的人。

但怎樣才可以到達這境界？願約伯及保羅的經歷成為我們的榜樣！

查經

4.　有人說：「好人會有好報。」你是否同意？(約伯記1:1-5,13-19；2:7-9)

若先從世上的遭遇來看，好人不一定有好報，惡人亦不一定有惡報。組長可請組員舉一些實例說明。

(4.1)　你認為約伯是否好人？從何見得？(伯1:1; 1:5)

在人眼中，約伯乃是一個難得的好人，因為：

a.　他完全正直。(1:1)

b.　他敬畏神。(1:1)

c.　他遠離惡事。(1:1)

d.　他重視子女的靈性、品格過於成就。

e.　他待人接物均從愛心出發，聖潔自守，愛人如己，不偏待人，不貪戀任何不屬自己的，不因富自誇，有求於他的都得到他的幫助 (參伯31:5-40)。可見他是難得之好人！

(4.2)　約伯是否有好報？請解釋。(伯1:13-19; 2:7-9)

約伯的苦難包括：

a. 失去所有財產。(1:15-17)

b. 失去所有僕婢。(1:15-17)

c. 失去所有兒女。(1:19)

d. 連身體也受重病困擾。(2:7之「毒瘡」可能是潰瘍或癌症)

e. 妻子也咒詛他，叫他離棄神去「死了吧！」。(2:9)

f. 朋友也不同情他，且說一定是他犯罪受到神懲戒。

(4.3) 這些苦難的來源是甚麼？

這些災難的事源主要是天災及人禍。

(4.4) 若你是約伯，面對這些苦難，你會有何反應？

組長可鼓勵組員發表自己的看法。

(4.5) 約伯的反應又如何？請解釋。(伯1:20-22; 2:10)

約伯的反應是：

a. 撕裂外袍，剃了頭 (1:20)：表達傷痛、震驚，失去了個人榮耀，亦可能暗示自己生下來之時也是這樣的。

b. 伏在地上 (1:20)：向神敬拜，不是怨天由人、憤怒，而是順服神的旨意。

c. 「赤身出於母胎」(1:21上)：認定自己到世上來時沒有帶任何東西來 (暗示現在有的已經是得了的，要感恩)。

d. 也必赤身歸回 (1:21中)：認定人離世時必不能帶走甚麼，所以對世上的得失毋須過分緊張，毋須執着。

　　e.　賞賜、收取的都是耶和華(1:21下)：認定人只有借用權，沒有擁有權，一切都是屬神的，祂絕對有權賞賜及收取。

　　f.　「難道我們從神手裏得福，不也受禍嗎？」(2:10)：認定得福(順境)是正常人生的一部分，但受禍(逆境)也是正常人生的一部分。所以遇到苦境時，人不應只問：「為何是我？」而亦應心裏問：「為何不是我？」信徒應尋索神要我們學的功課，要實踐的大使命。

5.　為何約伯可以有與別不同的反應？他如何看苦難？

約伯的苦難觀顯然令他成為痛而不苦的人。

(5.1)　約伯記1:20-21是甚麼意思？約伯的觀念為何可以使他痛而不苦？

從1:20-21，我們可看到：

　　a.　他認定人赤身而來也必赤身而去。

　　b.　他認定耶和華是一切的主宰及擁有者，祂有權掌權一切。

(5.2)　有人說，世上最痛苦的人，是那些只看到自己失去的，沒有看到自己得着的；只看到自己沒有的，沒有看到自己所有的；只看重短暫的，沒有看重永恆的。約伯怎樣看人生的得與失？(伯1:21；2:10)

他認定禍福皆正常人生的部分。

(5.3)　約伯是否認為苦難有意義？從何見得？(伯23:9-10)

從23:9-10，我們可以看到：

他認定受苦是試煉，目的是讓人煉成精金，使人更成熟，更茁壯。

(5.4) 約伯認定，苦難對人與神的關係有何幫助？你是否認同他的看法？（伯42:5）

他認定受苦是叫人更經歷到神，與神更接近的途徑。（42:5）

(5.5) 今天的人若遇上如約伯般的遭遇，相信早已自殺身亡了，但約伯能起死回生，從苦境轉回（伯42:10-13），主要關鍵是甚麼？

約伯從苦境轉回，喜劇收場，神加倍將所有失去的都給了他。使他從苦境轉回。

從前	後來
7,000羊	14,000羊
3,000駱駝	6,000駱駝
500對牛	1,000對牛
500母驢	1,000母驢
7兒子	7兒子
3女兒	3女兒

約伯從苦境轉回的關鍵是：神與他同在，他一直沒有離開神

a. 神賜給約伯的，比以前所有的加倍（參伯1:2-3），但似乎神賜他兒女的數目並沒有加倍，神是否「貨不對辦」？請解釋。

惟獨兒女數目沒有加倍，為甚麼？明顯，因為約伯並沒有真正失去兒女，他們只是移民、搬家、睡覺而已，父母子女始終會再相聚於天家的。所以約伯實際上有14兒子，6女兒。

    b. 約伯怎樣看死亡？(伯19:25-26)

    約伯深信神是永活的，而信徒的死不是終結，他們必在肉身滅絕之後在肉體以外見到神。(伯19:25-26)

    c. 約伯的兒女是否真的死了，消失了？(參帖前4:13-17)

    約伯的兒女並不是真的死了，只是移民、搬家、睡覺而已。

    (d) 他以前是怎樣對人的？神對他的賞賜是從何而來的？(伯31：16-22; 42:10-11)

    約伯從前敬畏神，遠離惡事，樂善好施，以愛待所有人，是個義人……這一切足使人看見他有需要時，想盡辦法回報他，神也是透過人將賞賜給他，令到他所得的，是他所失的雙倍。

6. 保羅所受的苦難遠比我們多，按哥林多後書11:23-28所載，他曾為主的緣故多次坐監；當眾被剝光衣服鞭打五次及被棍打三次；被人用石頭打到昏倒；船壞三次；被朋友出賣，多次被審如人球一般被人推來推去，沉冤莫雪。屢次沒有得睡；沒有得吃；但事奉壓力卻從來沒有減輕，眾教會有需要的弟兄姊妹仍繼續不斷找他幫忙。若以上的事發生在你身上，你會有何反應？保羅的反應又如何？(林後1:3-11)

有關「若你是保羅，遇上如林後11:23-28的經歷，會有甚麼反應？」部分組長可鼓勵組員自由分享。

有關保羅的反應：

(6.1) 他認為受苦對自己有甚麼益處？(1:4-5)

他認定受苦對信徒本身有益處：多得神的安慰，多經歷到神，較容易信主，且受苦能使人更成熟。

(6.2) 他認為受苦對別人有甚麼益處？(1:6)

他認定受苦對別人有益處：受過苦者較能感同身受，更了解到受苦者的需要，而他們亦較易接受安慰。

(6.3) 若你是會考生，結果考得「光頭」，9個D。後來，有兩位同班同學先後來安慰你，前者考9個A，後者考9個U，你覺得何者的安慰會對你幫助較大？為甚麼？

這是針對上題的比喻，組長可讓組員分享他們的看法。

(6.4) 保羅認為受苦對教會又有甚麼益處？(1:11)

受苦亦可使教會有更多機會實踐神的愛，使禱告更復興，使教會更興旺。

(6.5) 教會增長得最快之時，往往是受逼迫的時候，原因是：

a. 苦難煉淨教會，信的人質素必定更好。

b. 信徒在受苦時的見證更具吸引力。

c. 受苦，受逼迫時仍堅信者，我們有絕對把握他們是清楚得救的，我們甚至可以把生命委託他們；但對順境中的信徒，我們則沒有把握知道他們的真偽。

7. 約伯及保羅的苦難觀改變了你甚麼觀念？對你又有甚麼幫助？請分享。

這是組員對查經回應的時候，組長可讓組員回應後禱告作結。

結論

　　有人視苦難為磨練自己的機會，有人則視苦難為上天對自己懲罰和咒詛，苦難觀不同，人對苦難之反應、感受不同。從神的觀點與角度去看苦難，又學習約伯及保羅的苦難觀，肯定能幫助我們成為痛而不苦，殘而不廢的人。

　　下列二作者的分享很值得我們借鏡：

（一）　你知道嗎？

你知道嗎？

　　你知道蠟燭要經過燃燒才會發光嗎？
　　你知道橄欖要經過壓榨才會出油嗎？
　　你知道美酒要經過醞釀才會芬芳嗎？
　　你知道柿子要經過風霜才會香甜嗎？

你知道嗎？

　　金子要經過提煉才見精純。
　　鑽石要經過琢磨才見光華。
　　寶刀要經過鍛煉才見鋒利。
　　麥子要經過死亡才見重生。

你知道嗎？

　　天空若沒有風雨的肆虐，就顯不出彩虹的美麗。
　　溪流若沒有礁石的阻擋，就激不起浪花的飛舞。
　　小徑若不是曲折隱密，就顯不出它的幽靜。
　　梅花若不經一番寒風徹骨，何處聞得芳香撲鼻？

你知道嗎？

　　沒有經過流淚的雙目，永遠看不到人間的疾苦。
　　沒有經過流汗的耕作，永遠不懂收穫的歡樂。

　　沒有夏日炎陽的烤灼，永遠不知樹蔭的清涼。

　　沒有漫漫長夜的等待，永遠看不到曙光的重現。

你知道嗎？

　　你知道受苦越深，離神也越近嗎？

　　你知道環境越刻苦，也越能造就人的信心嗎？

　　你知道打擊越重，也越能造就人的信心嗎？

　　你知道世途越坎坷，人生的閱歷也越豐富嗎？

你知道嗎？

　　失敗教我們吸取經驗。

　　錯誤教我們學習謙遜。

　　挫折教我們培養勇氣。

　　損傷教我們懂得珍惜。

你知道嗎？

　　沒有試煉，你永遠不知生命的潛力有多深？

　　沒有重擔，你永遠不知生命的耐力有多大？

　　沒有痛苦，你永遠不知生命的韌力有多強？

　　沒有缺陷，你永遠不知生命的內涵有多美？

你知道嗎？

　　「萬事都互相效力，叫愛神的人得益處。」

輯載自杏林子《凱歌集》

（二）　逆境十訣

感激傷害你的人，

　　因為他磨練了你的心志；

感激欺騙你的人，

　　因為他增進了你的智慧
感激中傷你的人，
　　因為他砥礪了你的人格；
感激鞭打你的人，
　　因為他激發了你的鬥志；
感激遺棄你的人，
　　因為他教了你的獨立；
感激絆倒你的人，
　　因為他強化了你的雙腿；
感激指責你的人，
　　因為他提醒了你的缺點；
感激反對你的人，
　　因為他驅使你考慮週詳；
感激向你說誠實話的人，
　　因為他們才是你的朋友；
感激神讓你面臨逆境，
　　這樣你才更成熟長大。

佚名

6

門徒的成功觀

引言

在我們人生中，若只有失敗，沒有任何成功時，我們肯定會覺得苦，且不可能生存下去。然而，很多時候，「成功」並不是一實體，乃是一看法、一種觀念。我們對它的觀念與看法卻直接影響我們能否活得豐盛積極、有建設性及進步。

化冰問題

1.　下列人物中，你認為哪一位是最成功的。若有機會的話，你願成為哪一位？為甚麼？

(a)　孫中山：推翻滿清，建立中華民國。

(b)　李嘉誠：香港首富，在世界不少大城市亦有投資，是成功的商人。

(c)　毛澤東：將中國大陸改變成為共產國家。

(d)　葛培理：世界最著名佈道家。

(e)　董家夫婦：四小孩皆信主，兩位做了傳道人，一位到印度痲瘋病院作護士，一位作了基督教兒童工作者。

(f)　李政道：留美科學家，獲諾貝爾獎，為中華民族爭光。

這問題的目的純粹是化冰性質，然而，組員之答案多多少少反映了他們的價值觀。

請注意，這問題的答案並沒有「對」或「錯」的，只是提供機會給組員表達他的看法，亦藉此彼此了解與認識。

2.　請分享你印象中一次最深刻的成功經歷。你當時的反應如

何？現在想起來，你的感覺又怎樣？

這問題的目的一方面是進一步的化冰，引起動機，建立關係，拉近彼此的距離，另一方面，組員的分享也可讓組長知道，他們的價值觀到底是怎樣的。在查聖經以後，組長應把握機會將主基督的「成功觀」與我們的「成功觀」作一比較，叫我們認定改變的重要，否則我們將受到我們的觀念絆倒或影響。

在分享過程中，若有組員表達到完全無成功的經歷可分享，又說自是失敗者，一事無成，則組長須要停下來鼓勵其他組員一起為這組員禱告，又按自己所觀察到的，肯定他的恩賜及成就，並求主開他及我們眼睛，讓我們看到主如何看我們的成功與失敗。在所有組員分享過後，組長可叫組員分組彼此代禱，為每一位弟兄姊妹過去所經歷的獻上感謝。

查經

3. 請翻到路10:17-20，當門徒被差出去事奉的時候，結果如何？（路加福音10:17-21）

　　請分享從經文而來的得着：

　　(3.1) 門徒以前曾否被主差遣去事奉？他們這次「出馬」有路10:17之效果，他們有何反應？為何有這反應？（路10:1）

　　　　門徒成功的經歷是初試啼聲出去趕鬼、傳道，便「馬到功成」，連鬼也服了他們。

　　　　他們的反應是「歡歡喜喜」的回來，將喜訊、將他們的

「成就」報告給主耶穌知道。相信這是絕大部分人的反應，這反應也是正常的！(可問問組員，要是他也在其中，反應是否一樣？)

(3.2) 按上文下理所載，馬太福音11:20-30應是與路加福音10:1-20同時發生的。因此，當主差了七十人出去事奉後，祂本身亦在諸城行異能傳道、趕鬼等，但效果如何？(太11:20)

主耶穌差了門徒出去後；自己也到諸城去傳道治病，行了許多異能，一切可做的都做了，但那些城的人終不悔改。(太11:20)

(3.3) 你有試過第一次嘗試即成功的經驗嗎？請分享。

(3.4) 若你是門徒，首次「出馬」即大功告成，效果更遠勝師傅主耶穌，你會格外高興嗎？為甚麼？

(3.3) & (3.4)

組長可鼓勵組員分享初試啼聲即事有所成的感受，說明門徒的反應是正常的。

4. 主耶穌怎樣看他們的反應？(路10:18-20)

(4.1) 門徒的高興正常嗎？

我們要注意，主並沒有說門徒歡喜快樂是錯的。祂乃是說，他們理當歡喜快樂，但卻為了錯的東西歡喜快樂，試看路加福音15:7, 10, 32，主叫我們為甚麼歡喜快樂？為到人靈魂的得救，罪人轉回，人得到建立，人與神和好……

(4.2) 主在路加福音10:18-19所說的話是甚麼意思？

但是主對他們的反應卻好像潑下一盆冷水一樣：「有甚麼希奇！」「我早已告訴你們會有此結果！」「這些值得你們那麼興奮嗎？」好像就是主的反應。

(4.3) 門徒是為了甚麼而高興？你覺得世人是否也與門徒一樣？主耶穌希望他們為何而高興？

組長可先讓組員分享從經文觀察所得，然後引入第5題，看看組員了解了多少。

5. 為何主基督對門徒之「成功」的反應與門徒完全不同？二者主要分別何在？

二者價值觀明顯不同，所以對「成功」之看法也不一樣。

	主耶穌	門徒
(5.1)	焦點看重人的忠心	看重工作果效
(5.2)	看重神為人所作的	看重人為神作了些甚麼
(5.3)	看重永恆的	看重短暫的
(5.4)	看重以工作建立人	看重用工人建立工作
(5.5)	看重天上的	看重地上的
(5.6)	不受人反應影響事奉	受人反應影響事奉

主耶穌在路加福音10:21之歡樂，與門徒之歡樂恰成強烈對比，前者是喜樂 (joy)，是不受任何人、事、物、環境影響的；但後者是快樂 (happiness)，是隨時受「環境」(happening) 之不同而影響自己的。按馬太福音11:20-30所載，主的歡樂是剛巧發生在祂於哥拉汛、伯賽大行了許多異能神蹟，但那些人仍不悔改的時候。換句話說，沒有「果效」的時候，一般人是不會有歡樂的。

6. 一個人的「成功觀」會怎樣影響他的人生？又會怎樣影響他的靈性？

這是組員自由分享的機會，組長可鼓勵他們分享實際生活體驗。

7. 怎樣看「成功」？

你對「成功」的觀念正確嗎？下列是最好的測驗：

(7.1) ☒「成功」是否肯定了你的價值？覺得自己有用？這樣的價值觀會使「失敗」者自卑。

(7.2) ☐「成功」是否肯定了你的恩賜，願意在哪些方面繼續發展將所長獻給主？

(7.3) ☒「成功」是否叫你覺得自己「了不起」？這樣的想法終使人有一天「起不了」。

(7.4) ☐「成功」是否使你感謝神，歸功於祂？

(7.5) ☐「成功」是否使你更覺虧欠主，要向祂奉獻還願？

(7.6) ☒「不成功」是否叫你灰心，自覺價值不如人，感到自卑？

(7.7) ☒「不成功」是否使你不敢再嘗試？(雖並非試過許多次)

(7.8) ☐「不成功」會否叫你檢視自己是否忠心，有否盡了一己所能？

若組員答案與上述答案不相同，則表示在價值觀上出了問題，在禱告時，各人便須自我反省，求主改變自己看法，使自己能享受更豐盛人生，且不會浪費神所賜的機會及恩賜服侍更多人，以致見主時，不會覺得枉過一生！

結論

不少人稍有成就，便以為自己了不起。有人說得好，一個人越以為自己了不起，便越容易起不了。要在失敗時沒有失敗感，在挫敗時沒有挫折感，我們首先要糾正自己的成功觀。

門徒的失敗觀

引言

　　儘管我們常聽人說「失敗乃成功之母」，但我們都不願意面對失敗。失敗帶給我們的烙印，往往較成功之印象深刻得多，直接影響着我們。

化冰問題

1.　你有試過失敗的經驗嗎？請分享其中一些難忘的。你當時有何　感受？

2.　你現在怎樣看那些失敗？那些失敗對你現在還有影響嗎？若沒有，你是怎樣突破失敗感的？若有，你會怎樣克服自己的失敗感？

　　1&2. 皆屬化冰問題，組長宜給足夠時間組員分享他們的失敗經歷，留意那些至今仍被失敗感捆住、不能釋放者，讓這課的討論成為他們的醫治良藥。組長最好開組前預備足夠的紙巾，以備急時之需。當見到組員分享到流淚時，組長應在他們分享完畢時即為他們禱告。

查經

3.　經文提到耶穌傳道遇到甚麼挫折？

　　失敗其實是醫治的其中一個過程及手段，聖經希伯來書4:15說「我們的大祭司並非不能體恤我們的軟弱。祂也曾凡事受過試探，與我們一樣，只是祂沒有犯罪。」其中一項試探就是祂也曾遇到失敗及挫折。

然而，祂在失敗時並沒有失敗感，在挫折中並沒有挫折感，所以祂能成為我們受傷的醫治者。

(3.1) 祂走遍各城各鄉的主要目的是甚麼？這次祂達到了目的嗎？

祂走遍各城各鄉主要目的並非趕鬼、治病、行神蹟，乃是勸人悔改，歸向祂，順服祂，遵行天國旨意。(參可1:15) 但很可惜，馬太福音11:20說，「耶穌在諸城中行了許多異能，那些城的人終不悔改。」在人看來，祂這次的傳道工作是失敗的。

(3.2) 在同一時間，祂差出去的學生工作結果又如何？(參路10：17)

若我們留意上文下理記載(參太11:21-44；路10:12-15)，我們必發現到耶穌到諸城傳道、趕鬼及行異能的時間剛好是那七個門徒首次兩個兩個被主差出去傳道、治病、趕鬼的時候。主耶穌差了門徒出去以後，祂自己也到諸城(極可能是那些死硬抗拒福音的城市)去傳道。門徒第一次被差去傳道，即「馬到功成」，結果纍纍，甚至「連鬼也服了他們」，師傅卻是在人眼中「一敗塗地」，「老貓燒鬚」。

(3.3) 若同樣事情發生在你身上，你會有何感受？從何見得？

這是組員分享感受的機會，組長可用一些例子，如一位數學老師，在示範計算一數學題時，逾20分鐘都算不出來，反有一學生自告奮勇，不消兩分鐘，準確地將答案寫於黑板上。

組長可問，若組員是那老師，會有何感受！

(3.4) 主耶穌如何看祂的「失敗」？

主耶穌在失敗中沒有失敗感，挫折但卻沒有挫折感，祂對那次「失敗」的回應是：

a. 主耶穌不獨「走遍諸城」，且行了許多異能，明顯，祂已忠心，盡力做了祂應作的工，問心無愧。(20節上) 門徒亦應清楚知道神對我們的期望，是忠心 (faithfulness)，而不一定是果效 (fruitfulness)。

b. 祂關心那些城中的人之命運，擔心他們將來如何面對神的審判，而不是只想到自己的感受，為到「失敗」耿耿於懷。失敗感、挫折感很多時候是想到自己的感受太多，以致產生出來的副產品。

c. 祂認定審判官是父神，祂必審判各人。

d. 祂凡事看到正面，祂深信父容許這結果產生必有祂的美意 (25-26節)。

e. 祂認定受苦、失敗是有益的，因着祂的失敗，以致祂能更了解失敗者，更徹底與失敗者認同，又能為他們提供出路。祂說「凡勞苦擔重擔的人，可以到我這裏來，我就使你們得安息。」(28節) 祂絕不是用祂的神蹟、權能使我們得安息，從上文看來，祂乃是透過「在失敗中沒有失敗感，在挫折中沒有挫折感」的生命，成為我們的「板」(榜樣)。

4. 今天的人用來衡量及抬高自己價值的東西，包括美貌、錢財、成就及家庭，主耶穌有這些嗎？

主耶穌能使我們得安慰、得平安、得醫治不獨是因祂一次的「失敗」經歷而已，世人用來衡量自己「成功」的東西：美貌、錢財、成就及家庭，主耶穌亦一無所有。

(4.1)　祂是否有英俊外貌？

祂並無佳形美容 (賽53:2)

文藝復興時期意大利藝術家Michaelangelo筆下的主耶穌並不像主耶穌，因聖經形容祂是：

a.　祂無佳形，身材欠奉。

b.　無美貌。

c.　雖生長如嫩芽 (年輕)，但卻像根出於乾地，滿是皺紋，無血色，無水分，乾，飽經風霜。

d.　別人看見祂時，不會羨慕，且會掩面不看祂 (3節)。表明祂的樣子是醜的。

(4.2)　祂是否有錢財？

太8:20說到祂無錢財，祂連床位、枕頭的地方也沒有，更遑論房子、錢財、財物了。

(4.3)　祂有成就嗎？

祂亦沒有成就，當門徒見祂無作以色列王的念頭後，很多人便離棄祂。到祂被捉拿、被打、被審、被釘死之時連最親近的門徒也四散，無一人去營救祂，大弟子彼得甚至三次不認祂，只有一位門徒跟着去看被釘過程。在人看來，主是「失敗」的。

特別是今天人以多少人出席喪禮來定一個人的風光、成就，主耶穌顯然更是「失敗」了。

(4.4)　祂有支持祂的美好家庭嗎？祂有結婚及生兒育女嗎？

連祂家人也反對祂，不相信祂，視祂為癲狂的，這是最「失敗」的地方 (約7:3-5；可3:21)。又一般人以結婚、傳宗接代為人生目標，但主耶穌連婚也沒有結便死去了，這是更大的「失敗」(這是統一教教主，也是自稱為彌賽亞的文鮮明所說的)。

5.　　主臨死前如何評價自己一生?(參約19:30;4:34)

但主耶穌在臨死前如何評價自己的一生?祂肯定地說「成了」(It is finished!)「搞掂了!」而不是說「玩完!」「完蛋!」(I am finished!)。 祂認定自己不枉此生,祂的使命已完成。為何祂能這樣說?原來祂活在 世上的目的並不是為美貌、錢財、成就、地位和家庭等短暫的東西,乃 是為「遵行天父的旨意,作成祂的工」(約4:34),為永恆的,得了永不 會失的基業。對主而言,祂來世為人的罪捨身、流血,成全神、人所立的約 (參來9:20,22),成全救贖工作,這就是祂的人生目的。所以祂死的時候,能高唱凱歌「成了!」

應用

6.　　今天的查經如何幫助你面對失敗及挫折?

以下哪些是你學習到的?

□　　我找到同路人,我並非孤單。

□　　主「失敗」得比我更慘。

□　　主使我不再看人怎樣看自己,乃看神如何看自己。

□　　主可以在失敗中沒有失敗感,我也可以。

□　　屬世得失,並非重要,我要「看開一些」。

□　　我失的並非是非要不可的。

□　　失敗使我更親近主,我得的比失的更寶貴。

□　　沒有失敗,便沒有成功,不容易成長。

□　　只要我盡了自己所能,我已是成功的。

□　　「失敗感」皆因「自我」——對自己感受太敏感所致。

這是組員回應的機會，組長可讓他們自由分享他們的領受，看看他們從主身上吸收了多少精華。分享完後，最好讓組員有禱告立志的時候，將他們學到的榜樣、他們的委身、他們要改變之觀念、他們的認罪等在禱告中向主陳明，並求主繼續堅固他們的信心，不再追隨世俗觀念。

結論

我無意中讀到一個人的傳記，十分受感動。這個人一生都是荊棘滿途：

- 七歲便因父親失業，經濟困難，弄致無家可住，結果輟學，出來工作幫補家計。
- 九歲母親去世，令自己更形自卑、害羞，自感無能。
- 屢次轉換工作，但多被解雇。
- 二十二歲任士多伙計，又被解雇，很想讀法律，但因成績差，不被接納入學。
- 二十三歲與朋友合夥開一小士多，卻經營不善，欠債纍纍。
- 二十六歲，合夥人死亡，全部債項落在他一個人身上，經多年才還清債項，但自己卻一貧如洗，居無定處！
- 二十八歲，相戀了四年的女友拒絕嫁給他。
- 三十歲，與另一女孩結婚，但她常有心病，常發脾氣，婚姻並不快樂。
- 三十至三十六歲，二度競選眾議員，失敗。
- 三十七歲，第三度再參選眾議員，終成功。

- 三十九歲，再參選眾選員，失敗，差點精神崩潰。
- 四十一歲，四歲的兒子病逝。
- 四十二歲，想做量地官(測量師)被拒。
- 四十五歲參選參議員失敗。
- 四十七歲想任副總統失敗。
- 四十九歲再度競選參議員，再度失敗。

弟兄姊妹，這人上述一生的掙扎，若是你，你會到甚麼時候放棄⋯⋯放棄競選？放棄找工作？放棄讀書？甚至放棄自己生命（自殺）？

到了五十一歲，這人參選總統，結果成了美國有史以來最受歡迎最偉大的總統，這人就是林肯！

林肯成功的因素是甚麼？堅忍到底，永不言放棄，這就是他成功的要素。在人到了盡頭的時候，林肯看到了出路⋯⋯主耶穌基督，祂的復活，祂的國度，以致在他解放黑奴這最艱巨的工作中，他肯定相信，他是站在神一方的，所以勝利一定是屬於他的！

8

門徒的死亡觀

引言

　　人生中最痛苦的經歷，莫過於生離死別。心理學家一致認為，至親的離世，至愛的離異或離開是造成我們焦慮最厲害、最嚴重的因素。然而，這些離世卻是每一個人有生之日無法逃避的。面對親友離世，有人會哀痛欲絕，有人顯得無奈，但亦有人充滿着感恩，甚至高唱凱歌，有人甚至期待那日子的來臨，但卻不是厭世，乃是「活得豐盛，死得有盼望」。到底怎樣才可以從無奈進到期待？這正是我們要學習的。

化冰問題

1.　　以下是一些人對死亡的看法：

　　(1.1)　成吉思汗臨終前說：「我能征服世界，卻無法征服死神。」

　　(1.2)　哲學家柏思高 (Pascal) 臨死前說：「上帝啊，祢永不會拋棄我的！」

　　(1.3)　科學家巴斯德臨死時緊握十字架，說：「我要見上帝了，甚麼都不要！」

　　(1.4)　保羅臨終前說：「那美好的仗我已經打過了，從此以後，有公義的冠冕為我存留，就是按着公義審判的主到了那日要賜給我……」

　　(1.5)　慕迪臨終前說：「我看見主了，這就是死嗎？實在太美好了！」

　　(1.6)　格洛狄斯臨終前說：「我理解了不少事，就是一事未成，我很不甘心，為何是我……」

　　(1.7)　迪斯累里說：「我想活，但並不怕死亡！」

(1.8) 蘇恩佩説：「死亡，別狂傲，因我比你活得更長久！」

(1.9) 潘天壽在文革期間被迫害至死前説：「我死也不會放過你！」

(1.10) 一位太太臨死時説：「為何應死的沒有死，不應死的卻要死？」

上述觀念，哪些是你的觀點？請分享！

這題目的是在查經前，了解一下組員對死亡的看法。組員的分享可以使組長更曉得針對他們的需要，在帶查經時引導組員找尋出路。但組長在這題毋須批評組員的答案，留待查經帶出。

2. 請分享你印象中一次最深刻的分離經歷。

(2.1) 你當時有何感受？

(2.2) 那次分離對你現在仍有影響嗎？請分享。

(2.3) 若你已經脱離了負面的陰影，請分享你脱離的經歷

這題亦屬化冰問題，但與第1題不同者，它是個人的，是感受，是經歷之分享，但卻與本課內容息息相關，又可以直接促進組員彼此了解，拉近彼此距離。在分享時間，有些組員可能仍然深受一些分離的經歷所困擾，組長在遇到這些情形時，宜先停下來，一起為該組員禱告，又用神的話積極去建立、安慰該組員。分享完後，組長鼓勵組員從保羅身上看看他如何面對分離。在開組前，組長宜先預備紙巾，以備在有需要時使用。

到了 (2.3)，當組員分享到一些得勝經歷時，組長可表示欣賞，同時指出，那種得勝經歷是每位信徒都可享受到的，隨即請組員進到聖經，看看神所給的出路。

3. 當保羅寫這信給帖撒羅尼迦人的時候，收信者遇到了甚麼

不幸遭遇？(參徒17:1, 5-11, 13帖撒羅尼迦人是怎樣待信徒的？)

當保羅寫這信給帖撒羅尼迦人的時候，收信者中顯然有弟兄姊妹的親人離了世。至於他們因何離世？有人認為可能與教會受逼迫有關(參徒17:1, 5-11, 13)，因帖撒羅尼迦人對信徒是窮追猛打的。因此，死者中可能有較年輕者。

(3.1) 當時帖撒羅尼迦人有何反應？你覺得他們的反應正常嗎？

　　(特別是親人是被害至死的話)(13節下)

　　帖撒羅尼迦人的反應是十分憂傷(13節下)。這種反應在一般人看來，是十分正常的。特別是「白頭人送黑頭人」的情形下，一般人看得更為正常。

(3.2) 保羅稱那些因親友離世而憂傷者像甚麼人？(13節下)

　　但保羅卻稱這種反應為「沒有指望的外邦人」一樣的反應。

(3.3) 你認為信徒對分離之反應與非信徒之反應有分別嗎？若有，是甚麼分別？為何應有這些分別？

　　這題是給弟兄姊妹反省及分享的，組長宜給他們表達的機會。

(3.4) 聖經稱信徒的死為甚麼東西？(13節上) 為甚麼聖經這樣稱信徒的死？

　　聖經稱信徒的「死」為「睡覺」。對信徒而言，「死」並非他們的終結，乃是另一新的開始。所以用「睡覺」形容信徒的死，更為恰當，因他們始終會復甦，會醒過來的。

(3.5) 信徒死後將會有甚麼遭遇？(路23:43；林前15:42-44等) 信徒盼望的基礎是甚麼？

信徒死後會先在樂園與主同在 (路23:43)，到主再來時，身體會復活被提在空中與主相遇，永遠與祂同在。

(3.6) 將來主降臨的時候，信徒復活的次序是怎樣的？(林前15:42-44)

將來主降臨時，已離世之信徒必先復活，身體改變成為不朽壞、榮耀、強壯及靈性的身體 (參林前15:42-44)，跟着就是那些仍活在世上之信徒改變身體，然後一起被提。

(3.7) 你在睡覺或親人在睡覺前，會否覺得哀痛欲絕或不高興？為甚麼？

肯定沒有人在睡前都要哀痛欲絕，沒有人覺得睡之時是不開心的，因為那是享受，睡夠了自然會醒的。

4. 這是有關死亡的另一段經文，是保羅對死亡的看法及回應。(腓立比書1:21-24)

(4.1) 保羅如何看「死亡」？(2 1 節下)〔註：「有益處」(Kerdos) 在原文有「發大達」的意思〕

保羅說：「我活着就是基督，死了便『發大達』了」。在原文聖經中，「有益處」是"Kerdos"，原是商業用詞，是「發大達」、「賺大錢」的意思。

(4.2) 甚麼人才會有保羅這種看法？(21節上)

甚麼人才可以有以死為「發大達」的機會？是那些「活着就是基督」，不是「為基督」而已，而是「活着就是基督」，在日常生活的一舉一動、一言一語反映出基督樣式者。

(4.3) 保羅稱自己在兩難 (原文沒有「難」字) 之間，這兩難是甚麼？(23節)

在原文中，第3節的「兩難」是沒有「難」字的，原指「兩者」之間，這兩者是指「生」與「死」。

(4.4)　在上述兩項選擇中，保羅寧願揀選甚麼？為甚麼？

在上述兩項選擇中，保羅寧願揀選「離世」(原文「離世」"Analusai"「安樂晒」，名詞是 "Analusis"「安樂事」)。原因在 (4.5) 有十分清楚交代。

(4.5)　*Analusis* (離世) 一字在原文有下列意思：

- 離開牢獄：表示「我真正自由了。」真的，雖然我們信了主，但我們仍未算完全自由，我們仍有懼怕、憂慮、罪念、軟弱、自我等纏着我們。然而，當我們見主時，便是徹底自由之時。

- 牛馬脫離重擔、重馱：表示「我真正輕鬆了！」雖然我們信了主，但仍免不了有「勞苦愁煩」的感覺，離世 (analusis) 見主時，才是我們徹底輕鬆的時候。(參路14:13上)

- 離開營幕返家：表示我不再住那些「化學」(易毀壞) 容易毀壞的帳幕，乃住永恆、有安全感、不怕風吹雨打的房屋、別墅了。(林後5:1) 哥林多前書15:42-44節更清楚説出將來復活後，我們會變得完全、健壯、美麗、屬靈、榮耀，像天使一樣了，誰不羨慕？

- 船離開碼頭，向目的地進發：表示我們不用再等了，乃可以向我們要去的目的地進發了。(參提後4:7-8)

(4.5)　a.　請思想，以上用法有何意義？

　　　　b.　請分享，以上意義對你有何幫助或提醒？

　　　　　　a及b 是給組員回應及反省的。

(4.6) 保羅並非因厭世而説出21節及23節的話，他是活得豐盛，活得有意義且積極的。那麼，他活着又是為甚麼？

保羅並非因厭世而説23節的話，他是欣賞人生、把握人生，活得豐盛，活得有意義及目標的。他生存的目標「為你們更是要緊的」，是甚麼意思？

a. 為別人的得救。

b. 為別人靈性得建立。

c. 為別人生命得堅固。

d. 為神國度得以拓展。

5. 哥林多後書5:1-2

(5.1) 聖經用甚麼比喻形容信徒的死亡？

聖經用「搬家」比喻信徒的死亡：

- 從破漏、「化學」(易毀壞) 的搬到「永存」的。

- 從簡陋的搬到高貴的。

- 從不體面的搬到體面的。

- 從歎息勞苦的投到喜樂、健壯、榮耀的。

    就如從寮屋、籠屋搬到豪華高貴舒服、穩固的別墅一樣。(參林前15:42-44)

(5.2) 若你住籠屋或寮屋，有機會免費搬到前港督府、陽明山莊或比華利山居住，你會覺得哀痛嗎？為甚麼？

我們可以肯定，沒有人因搬到更好、更大、更穩固、更漂亮、更舒服、更安全的地方住而感到不開心的。

6. 聖經的死亡觀對你有何鼓舞？它們改變了你甚麼觀念？

這題是給組員自由分享的，主要目的是看看他們的死亡觀

是否改變了，和改變成如何！

結論

記得我之所以對基督教信仰產生好感，是因為見到不少身患絕症的信徒，竟然仍充滿盼望地向人作見證。另外，在一個安息禮中，我見到死者的妻子竟然講一些充滿讚美、感恩的話，又說到自己的丈夫只是先移民，遲些她也會去，一家會再相聚的，又勸參加安息禮的親友，也趕快信主辦理移民天國重聚手續，以致可以在天國重聚。這些話使人感覺很安慰、很舒服，本來想安慰死者家屬的親友，反被她安慰了；這與我另外所遇到的一些呼天搶地、痛不欲生的喪禮情景，有天淵之別。

到底怎樣才可以這麼灑脫地面對死亡呢？主耶穌說：「復活在我，生命也在我，信我的人雖然死了，也必復活；凡活着信我的人必永遠不死！」（約11:25-26）主明顯地應許真正信主的人是沒有死亡的；死亡對於他們而言，只是移民、搬家或睡覺。信主的人只要緊緊抓住這個應許，就能鎮定、從容地面對死亡。至於如何成為信主的人，可參考書後的附錄。盼望你能得着主的應許，成為有永生盼望的人。

9

門徒的工作觀

化冰問題

1. 一般人工作主要為甚麼？

一般人工作目的是甚麼？這問題純屬化冰性質，組長毋須在這時候評論「對」與「錯」，反應儘量鼓勵組員分享他們的觀點與角度，因為這是組長了解組員之最佳機會。

據一般人表達的意見，包括下列各點：

(1.1) 為錢，過豐裕些的生活：很容易會因工作忽略平衡生活，忽略與神、與家庭的關係，且較重視加薪、升職、與人比較等。

(1.2) 為證明自己有用：順境時會感到暢快，但失敗時則很容易情緒困擾，將自己的價值建立於別人怎樣看自己上面。

(1.3) 為生活，無可奈何：這「目的」(或說「無目的」)會容易使人感到空虛、苦悶。

(1.4) 為興趣：這是較健康的目的，它使人自動自覺，且樂意超時工作。

(1.5) 為大展所長，建立成就：這些人多能在工作上「搏到盡」，但要慎防忽略平衡生活，且注意不要因果效而犧牲了人際關係，與主疏遠。

(1.6) 為服務社會，建立社會：持此目的者也能感到滿足，享受工作。他們比較上會自動自覺，不計較去關心人，服務人，較少拿他人的成就來與自己比較。

(1.7) 不知道：這是一類渾渾噩噩、按章工作的人，他們進取心較小，也較易覺苦悶、空虛。

可見工作目的與我們能否享受工作、建立自己生命、成長

等是分不開的。對工作有恐懼、壓力感者，組長宜即時停下，為他/她禱告。

2. 你認為上述工作目的會帶給人甚麼後果？

不健康的工作目的肯定會帶給人負面影響；健康的工作觀則帶給人滿足與喜樂：

3. 你未信主之前的工作觀是否有別於信主後？若有，有何分別？

這是屬於見證式的化冰問題。組長可鼓勵有改變的組員，請他們分享他們的工作觀念有甚麼改變，這些改變使他們感受如何，是否與以前有不同？

4. 請讀以下經文，門徒工作應有何目的？

這是查經部分內容，組長可請組員輪流分享經文的意義。當一位組員分享完後，他亦可請其他組員補充。

(4.1) 創世記1:26-28說到我們的工作目的是甚麼？工作是否神對人的懲罰？為甚麼？哥林多前書4:1-2告訴我們要用甚麼心態管理神所託付的？

工作的其中一個目的是叫我們好好地去管理及治理神賜給我們的這個世界，在人未墮落以先，神已將工作交給我們。工作，不是人墮落後的懲罰，但人墮落，卻帶給人在工作時之「勞」與「苦」。工作時，神要我們忠心，盡己所能。(林前4:1-2)

(4.2) 傳道書5:19 說工作的另一目的是甚麼？

神也樂意叫人藉工作得到生活所需，享受勞碌的果子，得到飽足。

(4.3) 傳道書3:10所載又說到甚麼是我們工作的目的？

工作也是叫人成長、忍耐、順服，與人同工受磨練以致變得更成熟。透過工作，我不獨能操練技能、技術、能力，把恩賜發揮得更好，而且可操練與人相處之藝術。

(4.4) 哥林多前書10:31要我們注意甚麼？

工作另一目的是要我們榮耀神。試想，若基督徒都不工作，或不認真工作，非基督徒會有何感受？我們的信仰對他們還有吸引力嗎？神要我們在工作上作好的見證，做好的榜樣，以致不信的人也能稱讚我們，樂於與我們一起工作，使榮耀歸予神。

(4.5) 哥林後書9:8, 10-11告訴我們工作應有甚麼目的？

基督徒憑努力工作賺取金錢是完全合乎聖經的，神並不希望基督徒都變成窮光蛋，因祂是豐富的神，祂希望我們盡我們所能多去賺取，以致有更多能力去供應、照顧有需要的人。如衛斯理約翰說："Earn as much as you can, save as much as you can, and give as much as you can!"（盡你所能去賺錢，盡你所能去儲錢，以致能盡你所能去奉獻！）

(4.6) 帖撒羅尼迦後書3:7-12帶給我們另一工作目的，那是甚麼？

工作也是叫我們不致成為別人的負累，這也是我們最低限度要有的原則，否則我們會變成討人厭的人。

看完聖經教導後，跟着便是反省及應用的時候，組長在聽完組員分享他們在哪些方面有所忽略後，應鼓勵組員詳細些分享，他們準備在哪些方面去改善自己。

5. 以上所說的是否可幫助人享受人生？以上所說的哪些是你忽略的？你會同意並跟着去行嗎？在哪些方面？為甚麼？

這題也是屬於應用性之個案討論。從弟兄姊妹對個案的回應，我們也可以看到他們的反省。

6. 個案

十八年前，美國一間大石油公司準備在中國設廠發展石油工業，董事會決定找一合適經理打理這新公司業務。他們列出的條件是：

- 有相關的大學學位，成績優異者。
- 年紀不能超過四十。
- 最少三年在中國生活，操流利普通話，中國通。
- 能與中國人打成一片。
- 有領導才能、忠誠、委身。

他們找了很久，卻找不到合適人選。但董事之中有人認識一位已經在中國有六年經驗，石油工業及工商管理碩士，成績超卓，普通話恍如中國人一般，忠誠、委身，只三十餘歲，妻兒是中國人，有領導才能，且能與中國人打成一片，與中國人交往絕無問題的Chris。他現時在一差會作宣教士，年薪約五千美元。那總裁聽了十分興奮，叫這董事去挖角，甚至主動提出年薪五十萬美元，另有子女教育及房津、汽車、司機、工人等優厚待遇。可惜，那董事專程跑到中國與那弟兄談完後，無功而還。那總裁問：「他還嫌薪水少嗎？」那董事回覆：「Chris說不是薪水問題，而是那事業太渺小了。他說他要做的，是神王國的事業。」

這個案中Chris的見證深信可幫助我更清楚自己工作的目的與方向。組長可請組員分享其感受。

禱告

7. 從今天查考神的話語中，你有甚麼信念被改變了？或是甚麼信念加強了？你將怎樣在工作上跟隨主，榮耀神？讓我們在禱告中向神立志，感恩及回應吧！

組長可鼓勵弟兄姊妹在禱告中分享他們學到的功課，為着糾正了的觀念，加強了之信念，向神感恩立志及回應。

結論

有人說："Doing what you like is freedom; Liking what you do is joy!"（能做自己喜歡之事者是自由人，能喜歡自己所做之事者是快樂人）。回到神的工作觀之中會使我們更能享受工作，且不會因工作忽略平衡，忽略身心靈健康，這樣，工作可以成為見證神的機會。

10

門徒的性愛觀

引言

有人在 2002 年調查了逾 2000 大學生，發現他們當中有八成人贊成同居，實際同居者則超過三成。超過八成人覺得只要喜歡一個人，就可以與他/她上床。香港的大學生亦有超過六成贊成婚前性行為。在同一年，北京的離婚率是百分之三十八，婚外情的現象亦十分普遍。香港在1975年只有412對離婚，1985年升到4,270 對，現時一年超過 12,000 對離婚，其中絕大部份是涉及婚外情而導致離婚的。

思想問題

1. 這是查經前的立場測試，在組員答完每一題立場後組長可問他們選擇答案之原因。

    但在組員提出與組長不同立場之時，組長千萬不要長篇大論爭辯或容讓組員爭辯，而應留待查經時，神的説話去建立眾人的立場

    (1.1) 在男/女朋友面前換衣服

    (要小心，男的容易因看見較暴露異性引起性衝動，婚前性行為的前奏往往因此而起)

    (1.2) 與喜歡的異性朋友同居

    (創3:12記「同居的女人」乃妻子，暗示除非二者是夫妻關係，否則不宜同居)

    (1.3) 讓男/女朋友觸摸身體敏感位置

    (此舉無疑自墮情慾失控陷阱之中)

    (1.4) 與男/女朋友一起沐浴

（「赤身露體，並不羞恥」應是夫妻間才會做的事（參創 3:25），未婚者這樣做已是越軌行徑，跟着會更泥足深陷）

(1.5) 與男／女朋友親吻

（接吻有很多種，但若某種接吻帶給一個人性衝動時，那已經超出他的底線，宜保守些）

(1.6) 與男／女朋友上床，發生性行為

（這是淫亂，是神所不容許的）

(1.7) 婚後仍常與異性朋友談心

（丈夫／妻子能容忍這行為嗎？夫妻應是一心一意，一夫一妻，一生一世，任何影響夫妻感情之事應制止）

(1.8) 婚後仍保持與異性朋友單獨約會（參1.7）

(1.9) 自瀆去解決性需要

（雖聖經沒清楚說出自瀆是否合神心意，但自瀆者一般是先有淫念，才引起性衝動，主在太5:27-28說：「凡看見婦女就動淫念的，這人心裏已經與她犯姦淫了。」

(1.10) 未婚者同時約會兩位或以上異性朋友，以作選擇

（這不是負責任，不是有好見証的做法。除非一個人已清楚自己不喜歡原來之朋友，已交待清楚不繼續發展，否則不宜發展另一感情。見到別人有異性朋友，不應加入；除非對方已散了，才可開始。）

(1.11) 與男／女朋友單獨外遊、宿營：試探不在外遊，乃在於孤男寡女共處一室。若要外遊，可約多些弟兄姊妹一起，男女分房。

(2.1) 孔子說「食色性也」，認為吃東西與性的需要是與生俱來的，是非要不可的，你同意嗎？

不同意。因為一個人不吃會無法生存，但沒有性生活，人仍可存活，且不一定有影響。

(2.2)　另有人說 "Guys use love to exchange for sex, but girls use sex to exchange for love" (男人以愛換取性，女人則以性換取愛) 你對這話有何感受？

這話反映時下的人將性與愛混淆不清的現況。男人要的是性不是愛，女人以為讓男人有性的滿足，他便會愛自己。其實受害的，始終是自己，因他們都不會得到真正的愛。

3.　　十誡的第七誡是什麼？(出20:14「不可姦淫。」)

(3.1)　不可姦淫：不可與自己配偶以外的人發生性關係

(3.2)　主解釋，連思想上的淫念也是等同犯姦淫。

4.　　希伯來書13:4 如何勸戒我們有關性與愛之道？

尊重婚姻，不可污穢床。

(4.1)　怎樣才算是尊重婚姻？

認定婚姻是尊貴的，要忠貞對待自己配偶

(4.2)　「不可污穢」是何意思？

不可有婚外情，不可與任何妻子以外的人有親密接觸或建立親密關係

(4.3)　「苟合行淫」又是什麼意思？

苟合：πόρνους 指未婚者與異性發生性關係

(4.4)　神要怎樣對待那些苟合行淫的人？

行淫：μοιχούς 指已婚者與第三者發生性關係

(4.5)　婚外情，婚前性行為帶來什麼惡果？

神要審判他們：罪疚，家庭慘劇，身、心、靈傷害等

等，神且會在將來仍要審判他們。

5. 帖前4:3-8記載有關性的問題時，帶給我們兩個命令。

(5.1) 積極方面祂要我們怎樣？請解釋「聖潔」的意思。

積極方面：「你們要成為聖潔」，所謂聖潔，就是「分別出來」的意思，神的意思是要我們從一切偶像及一切罪分別出來。(v.3)

(5.2) 消極方面神又要求我們怎樣？(①「遠避」在希臘文 ἀπέχεσθαι 由兩個希臘字組成：ἀπο= 離開；ἔχω = 擁有、所在之處。有多遠要有多遠離開。≠ 淫行：淫亂的東西，淫亂的行為等。)

消極方面：「遠避淫行」如獵物逃避猛獸追捕般的逃走，頭也不回，拼命地逃避猛獸的追捕，直到逃離為止。信徒對逃避私慾的態度，也應如此。

(5.3) 哪那些東西是淫亂的東西，是要我遠遠離開的？

淫亂的東西，眼目的情慾：三級的刊物，電影，雜誌，網頁等，凡引起人情慾，犯罪意慾，淫念者。

(5.4) 哪些行為是屬於淫亂的行為，是要我們遠遠離開的？

淫亂的行為：包括婚外情，婚外性行為，婚前性行為，未婚同居，或與不是自己配偶之異性朋友同居

下列經文告訴我們不遠避淫行有何結果：

(5.5) 不遠離淫行的結果：

a. 箴6:29「凡挨近鄰舍之妻的，不免受罰。」

b. 箴2:18-19「他的家陷入死地；他的路偏向陰間。」

不獨姦淫者的日子會變成受苦的日子，不會好過，他的家亦可能會家散人亡

c. 箴5:3-4 凡超越道德底線去發展不正常關係者，至

終必陷自己於苦境之中，不獨傷害自己，也會傷害自己所愛的人。

d. 箴23:27 墮入妓女、外女之情慾關係中，必如跌陷阱中，絕不會有好結果的。

6. 帖前4:4勸我們如何看性？

（「身體」原文ακέυος乃「器皿」的意思，應指一個人的「性器官」）

(6.1) 何謂「用聖潔尊貴守着自己的身體？」

「身體」(ακέυος原有「器皿」的意思，意指信徒要認定保留性給配偶，不與任何婚姻以外的人有性行為是榮耀、尊貴，神所喜悦的事。

(6.2) 不謹守自己的身體，與人發淫亂會有何惡果？

帖前4:6 說淫亂的惡果是會受到主的報應──罪疚感、婚姻關係破裂，身心靈受損，得不到神的祝福

(7.1) 要避免淫亂的事，我們必須為自己設下男女相處底線，你認為以下那些底線是我們應持守？如何持守？

要避免淫亂的事，我們必須為自己設下男女相處底線：

a. 約會：

除非你及你想約會的人皆未婚，而你亦喜歡他/她，否則約會會引起別人誤會你喜歡他/她。

縱是男女朋友約會，身體的接觸亦必定下底線，以免彼此情不自禁。

b. 孤男寡女儘量避免獨處一室，除非二人已到談婚論嫁階段。

c. 外遊之底線：未婚者切忌與異性一男一女外遊共宿一房間，這是最容易陷入情慾試探之機會。其實弟兄姊妹外遊可多約一些弟兄姊妹同遊的。

d. 眼所看之東西的底線：三級的刊物、電影、網頁，甚至暴露身體之異性。

e. 男女身體接觸之底線：未婚男女敏感部位固然要避開，甚至接吻方式，身體其他部份之接觸，若會引起任何一方性衝動時，亦要避免。

f. 與異性談心事之底線：與異性談心底的話，特別是一些十分個人之私隱者，是很容易發展感情的，若一個人已，而對方並非自己配偶，他應避免有這種行為。未婚者向異性透露太私隱東西，可能會引致對方有兩種反應：

   (i) 驚訝，甚至反感：為何會說這些東西給他/她聽。嚴重的可能被誤會是性騷擾。

   (ii) 誤會：以為對方視自為親密男/女朋友。若是事實當然沒有問題，若不是事實則會惹麻煩。

(g) 性行為之底線：聖經只容許夫妻內之性行為。一切其他性行為皆被視為淫亂、姦淫。

(h) 暴露身體敏感位之底線：「赤身露體，並不羞恥」只限於夫妻之間。在任何非夫妻關係之異性面前，信徒均不應暴露這些敏感部位。露背、露臍、穿比堅尼、吊帶、T-back等又如何？其實，越小心、保守越好，否則陷自己於危險中。

(i) 所去之娛樂場所的底線：凡屬情慾挑逗之場所，引至情慾失控之場所，信徒均應小心避免。

(7.2) 「私慾」是甚麼意思？

「私慾」的意思：原文 επιθυμίας 乃由二希臘字組成：
ἐπι= upon,之上；θυμίας= 宰來吃，或宰來獻祭 (然
後吃)。可見θυμία ς是與吃有關，是人基本需要
(primary need)，但επιθυμίας則不是人基本需要，只
是次一層需要 (secondary need)，人沒有了它仍可生
存的。

(a) 何謂逃避少年人的私慾？

逃避= "φεύγε"如獵物逃避猛獸追捕般的拼命奔
逃，頭也不回地奔逃，直至不再見到其蹤影為
止。

(b) 為何我們要逃避少年人的私慾？

(1) 因少年人的私慾實在普遍

(2) 不逃避會帶來淫亂的罪及惡果

(3) 逃得不遠亦可能受壞風氣影響，使人不能自拔

(c) 我們應如何逃避？

如何逃避：為自己眼所見，腳所到，手所摸，耳
所聽的等等定下底線，對情慾的事，有那麼遠便
走那麼遠

(7.3) 除了消極方面要逃避少年人的私慾外，積極方面我們
追求些什麼？

積極方面：要與清心禱告主的人追求公義 (神完美的
標準)，信德 (πίστιν = 真理或信心)，和平 (和睦，
勸人與神和好=傳福音，勸人與人和好)

a. 為何我們要追求以上東西？

因為人若太清閒，很容易會被情慾引誘犯罪。大
衛在撒下11:1-5犯罪便是一例。

b. 不追求這些正面的東西會使人容易受壞風氣影響，將時間用於無聊甚至追求情慾之事上。

(7.4) 大衛為何會失腳，犯姦淫？

大衛失腳，犯姦淫的原因如下：

a. 他不應做的做了：

(i) 無所事事，睡午覺睡到太陽平西

(ii) 沒節制自己眼所見

(iii) 沒節制自己心所想 (淫念)

(iv) 明知拔示巴是有夫之婦，但竟約她入宮

(v) 毫無節制，犯姦淫，後來更借刀殺人

b. 他應該做的：

(i) 訂立新人生目標，方向，做有益，有永恆價值之事

(ii) 與清心禱告者追求靈命成長

(iii) 重整國家與神關係

(7.5) 你從大衛身上的失敗得了什麼警惕？

這是組員回應的時刻，組長可讓組員逐一分享，然後分組禱告。

8. 這題是屬總結的問題，組長宜讓男女分開，使組員可暢所欲言地分享其掙扎、反省、困擾及個人突破。

婚姻不貳

夫妻之道

光／心情散步

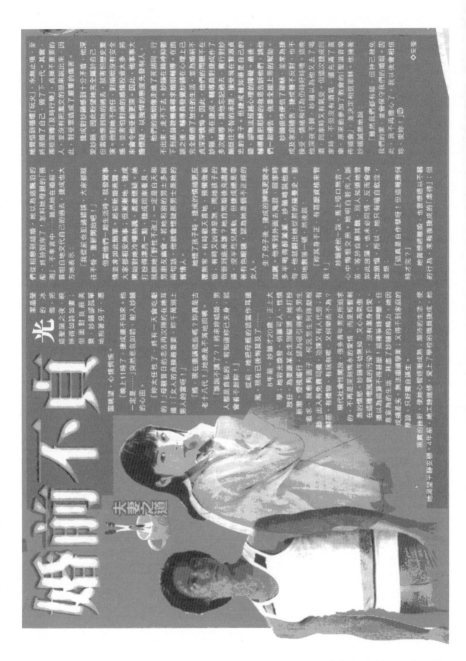

11

門徒的家庭觀

引言

　　兩年前,浸會大學社會系一群學生在沙田作了一些抽樣調查,問及二百位以上的家庭主婦有關她們的家庭及婚姻生活情形,發現八成以上的夫妻在孩子出生後,開始變得冷漠,彼此無溝通,注意力已轉到子女身上;大部分丈夫只顧工作,更不願花時間建立感情,有些則太執着自己一套,不想放下自我,以致衝突頻繁,導致七成以上的人結婚後均感後悔,難怪有人說「婚姻是戀愛的墳墓」。蕭伯納也說,「若一個人要結婚,就由得他結婚,若他不想結婚,就不要勉強他結婚,因為到頭來,無論是結婚與不結婚者,都會後悔的!」相信今天的人,特別是非信徒及不冷不熱之信徒,會同意以上的話。享受溫馨快樂的家庭生活,是每個人的期盼,但如何才可享有?

化冰問題

1.　有多少人覺得自己(或父母、兄姊等)的婚姻仍需改善?若有的話,在哪些方面?

　　這題一方面是化冰性質,但另一方面,亦有助於促進團友間彼此認識,讓團友知道彼此父母、親人的婚姻狀況,以致可以更有效地彼此鼓勵、代禱及跟進。

2.　夫妻間之不和諧、衝突在所難免,導致夫妻關係不和諧的主因是甚麼?(請回想你們之間關係緊張時期,主要因何而起?)

　　這題緊接上題,讓弟兄姊妹較深入及詳細地分享他們或親屬平日夫妻關係發生衝突的主因,為何他們與人不能和睦共處?他們在緊張的人際關係中,領略到甚麼?他們過去

關係不穩，主要原因是甚麼？

組長在聽組員分享過程中，若發覺到有人仍在緊張甚至破裂關係中，宜暫停其他團友之分享，鼓勵團友一起為那有需要者禱告。若無特別有需要者，則可在分享完後，分小組 (2至3人一組) 彼此代禱。

在小結時，組長可引用一些社會學家、心理學家的意見，說出人與人衝突的主因，是：

- 人對自己感受過分敏感。

- 人對別人感受過分不敏感。

基本上是因人的自我中心、過分執着而來的。

查經

3. 詩128原文中的第一個字是 "*Ashere*"，即「福哉」、「喜樂」、「幸福」之意。論到一個幸福人生、溫馨家庭之秘訣，首先，聖經說有福的人與神應有甚麼關係？(1節)

屬靈方面

這問題是概覽性的觀察問題。在原文中的第一個字是 "*ashere*" 乃「有福」「幸福」「喜樂」的意思。到底幸福的家庭是怎樣才可以得到的？詩人首先提到的，是與神的關係！「凡敬畏耶和華，遵行祂道的，這人便為有福。」(詩128:1)

對神敬──願意親近祂；畏──不敢違背、得罪祂，按祂的「本子」辦事。這是幸福婚姻的基礎。可見幸福的婚姻不是二人行的，乃是三人行的：丈夫 + 妻子 + 神。我們的

關係就好比三角形關係一樣，我們與神關係越接近，與人的關係也越接近。這是成正比的。

(3.1) 當你與神關係疏遠——不去聚會，省去靈修，生活沒有了信仰之時，你與人關係、自己心情等如何？與神關係良好時又怎樣？

這是組員回應及反省時間，讓他們更清楚為何聖經在提到幸福家庭時，首先提到與神關係。

(3.2) 人際間良好關係離不開：

a. 肯認錯

b. 無條件接納

c. 饒恕，不記帳

d. 付出不求回報

e. 以還債心態服侍對方

你覺得容易做到嗎？怎樣才可做到？哪些方面在你信主後有突破？

為何我們與神的關係如此重要？因為人與人關係的基礎，乃建立在

a. 肯認錯。

b. 無條件接納。

c. 饒恕，不記帳。

d. 付出不求回報。

e. 以還債心態服侍對方。

要做到以上的談何容易？但一個人若與主關係密切，經歷過神的愛越多，他就越容易去愛別人。

組長跟着請組員分享信主後之改變。他們的人際關係在信主後是否有改變？為甚麼？

4. 有福的人對工作態度又如何？

事業、工作方面：(2節)

跟着詩人提到第二個因素：「你要吃勞碌得來的！」他對工作的態度必須是忠心、勤奮，努力負起養家責任。這經文有另一個引伸意義——他必須學習做 "handy man"，甚麼都做。家務不單是配偶的，自己亦有責任。所以要自動自覺盡上本分，絕不可回家只曉得看電視、閱報、等人服侍。

但是，這習慣不是一朝一夕養成的。我們必須檢討——我現在的光景如何？在家自己有否服侍人，抑或受人服侍？試想，若果你的配偶在家甚麼都不幫忙，只在享受別人的服侍，將家當作旅館，你的感受如何？

(4.1) 你是否同意聖經所說的？為甚麼？(請注意，勞碌＝hard-working不獨指工作的表現而已，亦指在家裏之表現而言。〔第2節〕

(4.2) 若你的配偶有如「太子爺」般，甚麼都不理，家務也不做，只會看電視，你有何感受？

(4.1) 及 (4.2) 是組員自由回應及反省的機會，目的是更肯定聖經所言是我們實際需要的。

5. 有福的人、溫馨的家之妻子有何特質？

妻子/ 丈夫方面：(第3節)

「你妻子在你的內室，好像多結果子的葡萄樹！」

(5.1) 第3節上是何意思？

妻子必須是賢內助。是多結果子的賢妻良母。但怎樣才可得？「內室」是受保護的環境，肯定，好的妻子是要自己建立的。理想的婚姻不在乎能否找到一位理想的配偶，乃在乎能否使自己成為一位理想的伴侶。

(5.2) 經文說的果子是甚麼？（除子女外，加5:22-23說我們的果子亦包括些甚麼？）

這果子不止是兒女而已，更重要的，是聖靈的果子，包括「仁愛、喜樂、和平、忍耐、恩慈、良善、信實、溫柔、節制」(加5:22-23) 及彼得後書1:5-8所提到的「信心、德行、知識、節制、忍耐、虔敬、愛弟兄的心以及愛眾人的心」等等。

(5.3) 上述果子中，哪些是你所欠缺的？

組長可讓組員回應反省，檢討自己。

(5.4) 你認為怎樣才可得到以上果子？葡萄樹是怎樣生長的？

這樣多結果子的伴侶，誰不想要？但怎樣才可以得到？聖經以葡萄樹形容她，表示她能多結果子，必須有棚架支撐支持着，且有充足陽光、養料、水分和空氣等。換句話說，另一半的支持、鼓勵、供應及保護等是絕不可少的。

(5.5) 要配偶多結果子，我們必須提供有力的支持及鼓勵。你是否常常支持及鼓勵配偶？你怎樣做？（參箴27:21：「鼎為煉銀，爐為煉金，人的稱讚也試煉人。」）你覺得與妻子／丈夫溝通的時間夠嗎？若不夠，如何改善？你覺得自己在哪方面，因你配偶的欣賞稱讚而結出果子？

屬組員應用、檢討反省及立志的機會。

6. 有福的人與子女的關係又如何？從何見得？(3節下)

詩人說，幸福快樂的家庭不獨是夫妻二人的事，孩子也十分重要。不少父母就是為到子女的反叛、不羈深感不安。但快樂的家庭是怎樣的？「你兒女圍繞你的桌子，好像橄欖栽子。」栽子是嫩枝，即常青樹木。換句話說，子女每個都是人材，都可獨當一面，繼續成長且可結果子的。怎樣才可以這樣？不少人採「聽天由命」的做法，或一味要子女伏在自己權勢下。可惜，結果適得其反，叫子女更不願回家，更想遠走高飛，更反叛。詩人怎樣做？從子女圍繞桌子這一個圖畫看來，我們可猜到他與子女之間是無代溝的，他常蹲下，降低自己，以求了解子女，與他們做朋友。他可以與子女一起玩耍，一起成長。這樣的家庭，容易見到嗎？

(6.1) 你是否覺得花時間與子女在一起是需要的？為甚麼？

(6.2) 你與父／子女溝通狀況如何？有需要改善嗎？你將有何行動？

(6.1) 及 (6.2) 是組員自由回應、檢討自己及立志的機會。

7. 有福的人之教會生活又如何？(5-6節)

對教會生活方面：(5-6節)

要建立如詩人所描繪的一個溫馨快樂家庭，絕不是「坐着等」便可得到，也絕不可能是只靠自己一家人便可以達致的。詩人說，要得享幸福快樂婚姻，要做個賢妻良母，做個好丈夫，好子女，不容忽略的是教會生活：我們必須重視敬拜，重視肢體生活，重視神的話及真理之教導。

(7.1) 教會生活為何重要？良好教會生活對子女有何重要性？

因為神要從「錫安」、從「耶路撒冷」賜福給我們。我們離開教會生活，差不多等於賽跑運動員離開跑道，不去操練，肯定不會有好成績。

Charles Swindoll說，在過去數十年牧會經驗所得，他發覺到夫妻溝通有問題者多半是在青年時期沒有團契生活者，所以不曉得與人相處，不曉得溝通。

(7.2) 你滿意你現時的教會生活嗎？請分享並說出你將如何更努力改善自己教會生活。

這是組員反省自己、檢討自己及向神立志的機會。

應用

8. 請看課文後附錄新聞及見證，然後分享你的感受。

組長可請組員儘量分享新聞及見證之個案（見附錄一、二），並反省自己，檢討自己，分享自己學習所得。最後在禱告中向神委身。

結論

古人所說修身、齊家、治國、平天下的道理，其實一直是聖經所重視的。神在選屬靈領袖之時，先重視這人的生命，他與神的關係，其次是他的家庭見證。「一室之不治，何以天下國家齊」？要享受豐盛人生，我們必須重視家庭祭壇的建立，否則美滿家庭變得「可望而不可及」！

附錄一

商人重利輕離‧後悔飛入豪門

美婦寧捨富翁夫婿，為真愛改嫁垃圾佬

　　嫁入豪門，雖然得享豐富的物質生活，但未必得到真愛和快樂。兩度下嫁千萬富翁的芭辛頓，毅然決定放棄天堂式的物質生活，改嫁一個收集垃圾的工人。

　　現年四十七歲的芭辛頓，本是一位秘書小姐。二十八歲那年，她嫁予電子業巨子愛德華，從此飛入豪門，住的是百慕達的海濱別墅，吃的是海錯山珍，穿的是名師設計的時裝，年中總有十多次乘坐飛機到歐洲購物。可是愛德華是個工作狂，為了事業冷落嬌妻。芭辛頓忍受不住寂寞，結果離婚收場，改嫁家財千萬的石油商人大衛遜。

　　她說，大衛遜對她不錯，婚後十一年育有三個女兒，一家住在佛羅里達州的海濱華宅，有傭人使喚，本應其樂融融。

　　可是大衛遜從來沒有說過愛她，而且經常到外地洽談生意，芭辛頓又再感到寂寞。三年前她遇上麥梅利，他只是一個清倒垃圾的工人，與芭辛頓地位懸殊。但他們在一次偶然的機會認識後，即發覺深深愛上了對方。結果芭辛頓決定離開大衛遜，改嫁麥梅利。婚後兩人搬進一幢普通的平房，育有一子威廉。現在，芭辛頓要親自料理家務、照顧丈夫和兒子，但她沒有緬懷過去的奢華生活。

　　她說：「親友都笑我傻，甚至不與我來往，但不要緊，現在我的生活十分充實，因為我終於找到真愛。」到底年近半百的麥梅利有何吸引之處？芭辛頓說：「他為人非常浪漫，經常會送一份小禮物給我，每天出門又會留下便條說他愛我，這種關心與愛護，比物質重要得多。」

（引錄自《使者》，1991年5/6月）

附錄二

磐石無轉移──一位為持守婚約

而放棄事業的神學院校長的見證

　　言情小説裏，常以山盟海誓、天長地久、海枯石爛來形容愛情的不朽。墜入愛河中的青年男女，他們的熾熱彷彿是「眾水不能息滅，大水也不能淹沒」(歌8:7)。但環顧今天世人的婚姻與家庭，曾經是專一堅貞的愛、信誓旦旦的盟約，有很多卻經不起時間、金錢、誘惑、患難或疾病的考驗，情義斷絕就拆毀得蕩然無存。神説：「那人獨居不好，我要為他造一個配偶幫助他。」(創2:18)這一男一女、一夫一妻、一生一世的生命伴侶，是神所給我們的最美祝福，奈何人們不珍惜時即輕易地離棄。

　　去年在美國基督教界一件令人吃驚的事是：南卡州哥倫比亞聖經神學院校長羅伯森，麥克肯(Robertson McQuikin)為照顧患老人健忘症的妻子茉莉兒(Muriel)，而毅然辭去校長的職務。他在這個學院已服事了二十二年，因着神的祝福，眼見許多夢想成為事實，而新的理想、計劃正待開拓進展，但是他該「留在聖經學院繼續神所託付的事工呢？或回家照顧服侍妻子？」對他來説，這兩個呼召同是那麼迫切需要！為此他心裏常掙扎困惑，最後他決定辭職。卸下工作，離開二十二年來所踏遍熟悉的校園及親愛的同工與學生，無疑是個痛苦的決定，但是他認為他所作的是正確的抉擇。

　　十年前，有一天茉莉兒將五分鐘前才講過的，又反覆對他述説一遍，類似這樣的現象越來越多發生，他心中只暗覺奇怪。三年後，一位年輕的醫生對他説「你太太可能得了老年人健忘症。」一時間，羅伯森幾乎無法相信接受這事實。但是妻子的記憶力繼續在退化中，潛意識裏，他開始感到有點恐慌，就帶她到杜克大學醫學中心再次作檢查。當醫生

要她説出四福音書名時，她無奈求助的眼光使他的心如鉛下沉，終於不得不接受醫生的診斷結果。從此，四面八方來的關心建議：食用維他命丸、化學治療、趕鬼……不一而足。羅伯森只有感謝朋友的愛心，卻不想到處去尋求奇蹟的治療，他相信主若願意，就會在她身上行神蹟奇事；主若不願，求祂給予力量來承受這樣的事實。

漸漸，茉莉兒只好放棄在電視、無線電台上的節目，及其他外面的事工，雖然這個時候她仍然可以開車、出去採購物品，寫信給孩子們（信裏不一定言之有物）。孩子們總是説：「媽媽常幻想漫遊於太空。」她不知道在自己身上有甚麼不對勁，有時看電視節目裏談到「老年人健忘症」，就落入沈思而自問：「我會不會那樣？」眼望着所愛的本是思路清晰、充滿生氣活力、燒得一手好菜、又是滿有愛心的女主人；如今她的風采、光華卻慢慢地褪色黯淡，對她也許是沒有痛苦，對他卻是無盡的憐惜。

羅伯森向學校董事會提出建議，希望他們開始尋找接替他職位的人，因為茉莉兒可能隨時需要全天候的照顧。董事會沒有甚麼反應，只期待他永遠留下來。他們對他個人的肯定與挽留，雖使他滿懷感謝，然而為神國事工犧牲奉獻？抑或全心照顧妻子？成為左右為難的掙扎。一些愛主又滿有智慧的至友都勸他：為了基督和神國的緣故，應該安排茉莉兒去養老院，好專心事奉主。

「養老院的走廊，成排的輪椅上坐着目光呆滯空洞的老人，癡癡地等着親友來探訪。茉莉兒會習慣這樣的新環境嗎？有誰會像我一樣全然地愛她？」羅伯森再也無法想像把妻子送去如此陌生寂冷的地方。人所該盡的本分責任，孰先孰後，不也意謂着把祂所託付給我們的責任放在第一嗎？

茉莉兒活在一個渾然忘我的世界，不知道自己做了甚麼或做錯甚麼，把鄰居庭院的花摘下來插在家裏，甚至將花瓶的花也拿下來讓它死掉；常把「是」説成「不是」，「可以」説成「不可以」，惟一懂得又常常説的一句完整句子是「我深愛着你」，而且認得她所愛的家人。

　　兩年來，學校董事會請了一個人陪她在家讓羅伯森可以放心地上班。但是每當他一出門，她就心裏難過害怕，學校離他們家來回只有一里，她常一天徘徊十趟等着他。晚上幫她寬衣時，發現她跌得青一塊紫一塊，不禁心酸鼻塞，「深願我愛神也是不顧一切，只要親近祂就心滿意足。」這是羅伯森每天從妻子身上所得到的啟示。

　　親友常問他：「近來可好？」揮不去心中的憂傷，也不知該怎麼回答？憂傷她失去一切的記憶？或是他所遭受的牽累？朋友們關心的是羅伯森的難處與需要，認為維繫美滿婚姻的特質已消逝，怎麼還能忍受應付？殊不知他真正的痛苦是如何幫助妻子的需要及不按常理的行為，譬如一起去買菜時，茉利兒常把東西放在別人的車子推走，然後迷失在超級市場的通道間；吃飯或洗澡時，堅決地拒絕。怎麼辦？這遠比一千萬預算的會議還叫他費心！

　　當妻子越來越需要他時，心裏的交戰也越來越大，「到底是茉利兒或哥倫比亞聖經學院需要我全時間服事？」朋友勸他不要基於照顧妻子原因而作任何決定，並告訴他若為茉莉兒辭職，也不會有美好的改善。

　　回想四十二年前結婚時，他在神面前許下承諾：「不管健康或殘疾……除非死才能把我們分開。」

　　「過去四十年，一直是她深愛着我，照顧我的一切，現在不正是輪到我的機會？就算服侍她四十年，也無法超出她所給的一切。」

　　「二十二年來，哥倫比亞聖經學院如此蒙神祝福，我怎麼放下擔子、忍心離開？」

　　「聖經學院雖然需要我，但是他們需要的不是一個只能工作部分時間而分心的人，最好讓神選派另一位領導人來繼續推動學校的事工。」

　　反覆思量，他終於冷靜而毅然地辭職。也許別人會有不同的看法，但神所託付的該盡責任永不會有衝突，羅伯森相信這個決定合乎神的旨意。

　　一般而言婚姻遭遇困難時，大多是妻子遵守諾言、不畏艱苦去扶持

另一半，很少有丈夫放下事業，願患難同當來幫助妻子。願羅伯森這樣的，「將我放在心上如印記，帶在你臂上如戳記。因為愛情如死之堅強，」（歌8:6）也感動所有戀愛中的男女，認清婚姻須要付上的代價和決心。當你（妳）因愛慕而互許終身時，「君當作磐石，妾當作蒲葦；蒲葦韌如絲，磐石無轉移」。不管以後富足或貧窮、尊貴或卑賤、健康或殘疾……這是一生一世要珍惜廝守的盟約。

附錄三：怎樣接受福音，相信耶穌？

　　每個人都有同等的機會接受福音，無論是男女、老少、貧富、博士或目不識丁的人、古今中外的人、不同國籍的人，皆可以得到這福音。福音是不可以用錢買的，因為它太貴重了，它是用神兒子的寶血所成就的；福音也是不可以靠人本身的行為賺取的，因為在神的標準下，世上沒有一個人是義人；福音也是不能從父母傳下來或從一個宗派傳給我們的，因為人是需要親自與主耶穌建立個人的關係，才算是接受了福音。基督教是一種關係（神與人的關係），而不是一種習慣或形式。

　　然而，怎樣與耶穌建立個人的關係呢？很簡單，只需要ABC三個步驟就成了。

A: Admit——你必須承認自己有罪

　　承認自己有罪，並知道罪使我們與那豐盛生命的源頭（神）隔絕——「耶和華的膀臂並非縮短，不能拯救，耳朵並非發沉，不能聽見，但你

們的罪孽使你們與神隔絕：你們的罪惡使他掩面不聽你們。」(以賽亞書59:1-2)也知道自己是無力自救，沒法靠自己得着豐盛生命的，故此要向主耶穌承認你的罪，並求祂赦免你。

　　若我們不向主耶穌承認我們的罪並求主赦免，就如將垃圾堆在自己屋內，不肯拿出去，垃圾車來了亦幫不了我們。但只要我們將罪交出承認，神就應許我們「東離西有多遠，他叫我們的過犯離我們也有多遠！」(詩篇103:12)「我們若認自己的罪，神是信實的，是公義的，必要赦免我們的罪，洗淨我們一切的不義。」(約翰壹書1:9)

B: Believe——你必須相信耶穌是神

　　相信耶穌基督是神，為你的罪死在十字架上，卻在第三天復活了。相信祂能赦免你一切的罪，且能賜你豐盛而永恆的生命。聖經說：「你若口裏認耶穌為主，心裏信神叫他從死裏復活，就必得救。」(羅馬書10:9)「凡接待他的，就是信他名的人，他就賜他們權柄作神的兒女。」(約翰福音1:12)

C: Confess——你必須接受耶穌基督為主

　　打開你的心門，接受主耶穌到你心中成為你的主和救主。願意讓祂擁有你生命的主權。唯有這樣，才能使祂的能力如意地運行在你身上，讓你擁有豐盛的人生。耶穌說：「我來了，是要叫羊得生命，並且得的更豐盛。」(約翰福音10:10)

　　若你願意經歷這福音的大能，請向主耶穌禱告，承認你的罪，相信祂為你而死，卻已復活了，並接受主耶穌到你心中作你的救主和主宰。最後，便說：「奉主耶穌名求，阿們！」

全心出版社有限公司之出版書目：

♥ 全心製作/全心出版社

產　品　名　稱	作　　者
沿風草CD	—
珍惜眼前人CD（內附講道）	—
一切從信靠開始CD	—
沿風草（II）CD—真愛不老	—
沿風草（III）CD—愛與被愛	—
真愛不老MTV（內附Karaoke＋講道）	—
真愛不老音樂劇 DVD（內附講道）	—
在地如在天	蘇穎智牧師
認識及經歷聖靈	蘇穎智牧師
夜盡見曙光	蘇穎智牧師
從伊拉克到世界未來	蘇穎智牧師
教堂以外的信仰	蘇穎睿牧師、蘇劉君玉博士
四季成長路——春：更新的季節	蘇穎睿牧師
四季成長路——夏：盛放的季節	蘇穎睿牧師
四季成長路——秋：收成的季節	蘇穎睿牧師
四季成長路——冬：養息的季節	蘇穎睿牧師
四季成長路禮盒套裝	蘇穎睿牧師
新生命新生活組員本（新修版）	蘇穎智牧師
新生命新生活組長本（新修版）	蘇穎智牧師
揭開東方發出的閃電之面紗	蘇穎智牧師
婚前婚後	蘇劉君玉博士
價值觀重整之旅組員（新修版）	蘇穎智牧師
價值觀重整之旅組長（新修版）	蘇穎智牧師
直攀高峰	蘇穎智牧師
豐盛人生邊度搵（福音漫畫小冊子/代理）	蘇穎智牧師
何西亞書研經本	蘇穎智牧師
認識救恩	蘇穎智牧師
人生Do's & Don'ts（當要離別的時候）	陳維樑博士
人生Do's & Don'ts（家長輔導孩子的技巧）	蘇劉君玉博士
人生Do's & Don'ts（探病D&D與冒牌行醫）	陳滿堂醫生
人生Do's & Don'ts（你可以不飲牛奶）	梁淑芳醫生

價值觀重整之旅——組長本

作者：蘇穎智
責任編輯：陳凱欣
美術設計：許樂
排版：許樂
出版及發行：全心出版社有限公司
地址：香港九龍尖沙咀柯士甸路22-26A號好兆年行704室
電話：(852) 3427 9071　傳真：(852) 2311 1378
網址：www.heartpro.com.hk
承印：海洋印務有限公司
版次：二〇〇四年四月初版
二〇一三年十一月第十六版

Reconstructing Your Value System : Leader's Guide

Author : *Rev. So Wing-chi*
Editor : *Chan Hoi Yan*
Published by : *Heart Publishers Ltd.*
Rm 704, Austin Tower, 22-26A Austin Avenue TST,
Kln, Hong Kong.
Tel : (852) 3427 9071　Fax : (852) 2311 1378
Web Site : www.heartpro.com.hk
Printer : *Ocean Printing Co., Ltd.*
Edition : *April 2004, 1st edition*
November 2013, 16th edition

ISBN : 978-988-97693-4-5